국제지역학과 아시아경영

국제지역학과
아시아경영

대한아시아지역학연구회 지음

국제지역학을 통해 아시아를 경영하다

아시아지역학이 발전하면서 그 학술적 탐구에 도움을 주는 국제지역학과 제반 학문도 함께 성장하고 있습니다. 이는 아시아의 학자 모두가 경영자적 태도를 통해 적극적이면서도 혁신적으로 그 연구과 발전에 힘쓰고 있어 가능한 것입니다.

근래에 서로 다른 무엇과 무엇이 만나 새로운 가치를 창출한다는 의미인 알파라이징(alpharising)이라는 단어가 주목받는 것도 새로운 혁신을 통해 기본의 틀을 깨고 인류가 나아가야 할 필요성이 제기되기 때문입니다.

동학이 주목받고 콘스탄티노플의 독특했던 문화적 부문이 다시 주목받는 것도 이러한 혁신과 변화에 세계가 능동적으로 관심 가지고 기존의 비주류에서 새로운 발견을 반드시 해야 한다는 절박감에서 기인합니다.

우리도 이러한 변화와 4차 산업 혁명을 창조적으로 맞이하려면 과거의 전통문화를 시대에 맞게 되살리고 역사를 천착하면서 세계적으로 전통문화와 역사에 대한 인지도를 높여야 합니다. 이 과정에서 외국 자본에 굴복하지 말고 바른 애국심을 고양하면서 자문화 천시도 지양해야 할 것입니다.

이러한 쇄신은 우리가 한 단계 도약하는 것에 좋은 밑거름이 될 것입니다. 아시아를 경영하는 창업적 경영자의 관점에서 국제지역학을 바라본다면 새로운 시대를 경영할 수 있는 좋은 길을 보여줄 수 있을 것입니다.

아울러 연구 과정에서 도움을 주신 전국민주대학생연석회의(National Democratic Council of University Students) 관계자 여러분께 깊은 감사를 드리며 국제지역학의 경영적 활용에 깊은 관심을 가져주시길 부탁드립니다.

목 차

제 1 부

국제지역학

International Area Studies

Ⅰ. 머리말

아시아지역학은 아시아라는 지역을 다루는 학문인데, 단순히 지리적 문제만이 아니라 아시아라는 고유한 세계를 다각도에서 연구하는 학문이다.

따라서 아시아지역학은 특정 국가나 집단을 다루는 것이 아니라, 국제적이고 폭넓은 관점을 요구한다. 아시아지역학이 경영학에서 태동했기 때문에 경영학의 보편적 이론을 바탕으로 아시아의 특수한 상황에 접목하는 것이 중요하지만, 편협하거나 자문화중심적으로 바라보지 않도록 주의해야 한다.

아시아지역학 입문의 기초가 되는 학문은 국제지역학이다. 국제지역학은 정치학이나 지리학에서도 하위 학문으로 존재하지만, 아시아지역학에서의 국제지역학은 경영학개론을 비롯한 경영과학적 기본 이론을 바탕으로 국제적 관점에서 지역을 바라보는 독특한 안목을 기르는 것이므로 학문적 차이점이 있다.

아시아는 세계에서 가장 많은 국가가 존재하는 대륙이기 때문에, 각 국가의 역사·문화·정치체제·경제체제 등의 영향으로 서로 다른 특징을 가지고 있다.

따라서 각 나라의 특징을 잘 알기 위해서는 국가별 정부 형태와 역할을 분석하는 것이 중요하다. 이를 통해 각국의 특징에 대한 이해가 가능할 것으로 판단되므로, 국제지역학을 더욱 세밀하게 학습할 필요성이 있다.

또한 아시아지역학은 경영학적 토대를 기반으로 하므로, 경영의사결정에 필요한 계량적 분석 방법을 이해하고 이를 응용하는 것이 중요하다. 특히 현대적 계량시스템의 체계를 이해하고 이를 기초로 한 응용에 대해서 알아보고, 수리계획과 확률모형도 적극적으로 기법으로 활용해야 한다.

II. 국제지역학을 통해 보는 경영과학

국제지역학과 경영학은 밀접한 관계에 있음은 보편적인 학계의 상식이다. 그러나 본 글의 제목을 '국제지역학을 통해 보는 경영과학'으로 정한 것은 과거의 단순한 경영학적 이해로는 국제지역학을 완벽히 이해할 수 없기 때문이다.

경영학은 급변하는 시대에 유연성을 가지고 살아남아서 생존에 지속해서 기여할 수 있는 전천후의 경영자를 양성하는 것을 목적으로 한다. 아시아지역학도 이러한 경영학의 토대와 목적을 수용한 학문이므로 경영자적 관점에서 아시아지역학을 바라보도록 요구한다.

그러나 과학의 발전과 수리학의 발전으로 인해 경영학에도 다양한 계량적 방법이 도입되었다. 과거의 경영자적 직관에 따른 판단이 아니라 과학적이고 계량적인 방법에 따른 정밀한 판단이 요구되는 것이다. 이러한 것은 아시아지역학에도 동시에 적용된다.

따라서 경영과학이라는 것은 단순한 경영자의 이미지를 벗기고 과학적인 계량 분석에 따른 판단의 중요성을 강조하기 위한 표현이다. 또한 국제지역학에서 이러한 것이 중요한 이유는 아시아라는 세계가 가장 복잡하고 난해하기 때문이다. 일순간의 직관으로는 결코 볼 수 없는 세계이다.

그러므로 국제지역학을 바라볼 때는 위에서 언급한 점을 명심해야 한다. 또한 국제지역학에서 아시아를 바라볼 때는 조직의 운용·조직·지휘 등을 체계적으로 연구하는 성실함 위에서 현대적 경영자의 관점으로 바라보아야 한다.

III. 국제지역학의 경영학적 토대

국제지역학은 기본적으로 경영과학 혹은 경영학개론을 아시아지역학에 맞게 학술적 원론을 살리면서도 특성을 중요하게 변형한 것이다.

일반적으로 배우는 경영과학 혹은 경영학개론 위에 아시아의 특수성도 함께 추가하여 상호 복합적이고 창조적으로 다루는 형태이다.

그리고 대학에서의 아시아지역학과 경영학의 관계도 살펴보면 아시아지역학은 경영학을 그 모태로 하여 경영학자가 주도해서 만들었고 일각에서는 경영학의 하위 학문으로 보아 사실상 경영학과 같은 것으로 볼 정도이다. 그러므로 아시아지역학 관련 학과가 설치되지 않은 대학에서 연계전공으로 그 학위를 받은 자는 사실상 그 대학의 경영학과를 졸업한 것과 같게 보아야 하며 그렇게 하고 있다. 이는 경영학과에서 아시아지역학 관련 과정을 운영하는 점도 있지만 기본적으로 학문적 근거에 상당히 기인하기 때문이다.

또한 아시아지역학을 대학에서 이수한 자의 학점을 분석해보면 대게 전공필수보다 전공선택이 성적표에 찍힌 경우가 많다. 이는 아시아지역학 자체가 이제 만들어지고 있는 학문이므로 특정 과목을 전공필수로 완벽히 지정하기 어려운 부분에서 기인하기도 한다. 그러므로 전공필수로 이수해야 할 과목은 대게 상황에 따라 전공 혹은 교양과목으로 인정할 수 있는 자유과목을 전공필수로 해석한다. 특히 제2전공으로 아시아지역학을 이수한 자의 경우 그 학점 계산 시 성적표에서 제2전공으로 찍힌 과목과 자유전공으로 찍힌 과목을 모두 합산해야 올바르게 계산한 것이다.

이외에도 편입 관련된 문제를 살펴보자면 한국에서 다른 대학으로 편입하는 경우 그 학점은 학칙에 따라 인정해도 특정 과목을 구체적으로 인정하지는 않는다. 다만 유사한 과목에 대해서 수강하지 않아도 되도록 하는 형태로 전적 학점을 인정한다.

특히 원격 교육을 통한 경영학 학사 학위를 취득하고 아시아지역학 학사 과정으로 하여 일반 대학에 편입하고자 하는 경우 국제적으로 일반 대학에서 학위를 취득하면 원격 교육을 통한 학위가 전자와 유사한 경우 인정하지 않는 불문율을 주의 깊게 볼 필요가 있다.

또한 대게 아시아지역학의 경우 경영학을 학습하던 학생이 편입하는 경우가 많다. 이는 위에서 설명한 것처럼 아시아지역학이 사실상 경영학과 동일하게 보는 학계의 관행과 학술적 기반 그리고 학과가 개설되지 않았을 때 사실상 그 대학 경영학과 동문으로 인정하는 관례에서 그것을 찾을 수 있다.

한편 아시아지역학은 그 학문에 있어 하위 과목으로 기획론, 소프트웨어와 컴퓨터적 사고, 국가와 법, 정치란 무엇인가 등이 있으며 이러한 과목들은 국제지역학과 긴밀한 연관성을 가지는 것으로 볼 수 있다. 한편 그러한 하위 과목에 대해서 아래에 자세히 기술하고자 한다.

Ⅳ. 국제지역학의 하위 과목

가) 기획론

영어로 'Public Planning'이라고 하며 미래의 목표를 설정하고, 이를 달성하기 위한 과정을 계획하고 실행하는 과정을 연구하는 학문이다. 그러므로 기획은 기업, 조직, 개인 등 다양한 주체가 미래의 목표를 달성하기 위해 수행하는 활동 전반을 의미한다.

이러한 기획을 연구하는 기획론은 20세기 초에 미국에서 탄생했다. 초기의 기획론은 주로 기업의 경영 전략과 관련된 연구를 중심으로 이루어졌다. 이후 기획론은 조직, 사회, 개인 등 다양한 분야로 확대되었다.

또한 그 발전상은 오늘날에도 지속해서 이어지고 있다. 새로운 경영 환경과 기술의 변화에 따라 기획의 방법과 내용이 변화하고 있다.

한편 기획론은 미래에도 더욱 발전할 것으로 전망된다. 기후 변화, 기술 발전, 사회 변화 등 다양한 도전에 직면한 현대 사회에서 기획은 미래의 목표를 달성하기 위한 활동이다.

앞으로 기획은 융합적으로 발전할 것이다. 기획은 그 특성상 기업, 조직, 사회, 개인 등 여러 분야에서 이루어진다. 따라서 융합적 기획론을 통해 다양한 분야의 기획을 연계하고, 통합적인 관점에서 기획을 수행하는 것이 중요해질 것이다.

또한 인류에게 기후 변화, 환경 오염 등 지속 가능성에 관한 관심이 증가하고 있다. 따라서 지속 가능한 기획론을 통해 환경과 사회에 미치는 영향을 고려한 기획을 수행하는 것이 중요해질 것으로 전망된다.

기술적으로는 인공지능의 발전으로 기획의 효율성과 정확성이 향상될 것이다. 따라서 인공지능을 활용한 기획론을 통해 기획의 자동화와 최적화를 하는 것이 중요해질 것이다.

이와 같은 전망 속에서 기획론을 학습하여 현재 상황을 분석하고, 미래의 가능성을 발견하며, 이를 현실로 만들어 낼 새로운 가능성을 얻을 수 있을 것이다.

나) 소프트웨어와 컴퓨터적 사고

영어로 'Software and Computational Thinking'이라고 한다. 과학 기술이 발전하고 이를 통해서 컴퓨터가 발전하면서 학문 영역에서도 이를 하나의 수단으로 활용하고자 한다.

그러한 외중에 가장 먼저 전면적으로 컴퓨터를 받아들인 것은 경영학이다. 이러한 점에서 현대 경영학을 이해하려면 컴퓨터를 이해해야 하고 그러기 위해서는 먼저 컴퓨터가 문제를 해결하는 컴퓨터적 사고를 인간도 알아야 한다.

특히 이러한 것 중에서도 컴퓨터적 사고는 복잡한 문제에 대해서 컴퓨터를 활용하여 효과적으로 해결할 수 있는 사고 방식이며 컴퓨터적 사고의 기본 개념인 문제 분해, 추상화, 알고리즘, 데이터 구조 등을 학습해야 한다. 또한, 컴퓨터적 사고를 활용하여 실제 문제를 해결하는 방법을 습득할 필요성도 제시된다.

또한 위에서 언급한 컴퓨터적 사고를 쉽게 이해하고 그 근간이 되는 언어인 프로그래밍 언어를 쉽게 학습하려면 MIT 미디어 랩에서 개발한 프로그램인 '스크래치(Scratch)'를 통해 기초를 다지는 것도 좋은 방안이다. 이 프로그램은 사건 기반 프로그램이면서 직관적이기에 초보자에게도 용이하게 사용할 수 있는 장점이 있다.

그러므로 소프트웨어와 컴퓨터적 사고는 컴퓨터와 소프트

웨어에 대한 기본 개념을 이해하고, 컴퓨터적 사고를 습득하여 문제 해결 능력을 배양해야 하는 것이 요구된다. 또한, 소프트웨어 개발의 기본 원리와 프로그래밍 언어의 기초를 익혀서 응용 소프트웨어를 개발할 수 있는 능력도 부수적으로 기른다면 더욱 현대 경영학의 이해와 학습에 밑거름이 되니 국제지역학과도 수단적 연관성이 크다고 할 수 있다.

다) 국가와 법

영어로 'Country life & Law'라고 한다. 경영학에서 국가와 법은 중요한 개념이다. 국가는 기업의 활동을 규제하고, 보호하는 역할을 하며, 법은 기업의 경영 활동을 안정적으로 유지하는 데 기여한다.

한편 국가가 기업의 활동을 규제하고, 보호하는 역할을 하는 것은 기업의 활동은 사회적으로 큰 영향을 미칠 수 있으므로, 국가는 기업의 활동을 규제하여 공공의 이익을 보호하고, 사회적 갈등을 예방한다. 또한, 국가는 기업의 활동을 보호하여 기업이 안정적으로 성장할 수 있도록 지원한다.

국가의 규제는 기업의 활동에 영향을 미치기 때문에, 경영학에서는 국가의 규제에 대한 이해가 중요하다. 기업은 국가의 규제를 준수하면서, 기업의 이익을 극대화할 방안을 모색해야 한다.

법은 기업의 경영 활동을 안정적으로 유지하는 데 이바지한다. 법은 기업의 거래 관계를 규정하고, 기업의 권리와 의무를 명확히 함으로써, 기업의 경영 활동을 안전하게 예측할 수 있도록 만든다.

또한, 법은 기업의 경쟁을 공정하게 유지하여, 기업의 발전을 촉진한다. 그러므로 기업은 법을 준수하면서, 기업의 경영 활동을 효율적으로 수행해야 한다.

국가와 법은 경영학에서 중요한 개념이다. 경영학에서는 국가의 규제와 법의 역할을 이해하고, 사회적 책임 경영, 지역 사회와의 협력, ESG 경영 등을 두루 살피면서 이를 기업의 경영 활동에 활용하는 것이 몹시 중요하다고 할 수 있으므로 국제지역학에서도 국가와 법을 깊이 살펴봐야 한다.

라) 정치란 무엇인가

영어로 'Readings in Political Science'라고 한다. 경영학에서 바라보는 정치는 한 사회의 공동체가 공동의 목표를 달성하기 위해 의사 결정을 하고, 이를 실행하는 과정이다. 정치는 사회의 모든 구성원이 참여하는 과정이지만, 특히 권력을 가진 자들이 강한 영향력을 통해 주도하는 과정이다.

정치는 다양한 요소에 의해 영향을 받는다. 정치는 사회의 경제 상황, 문화, 역사, 종교 등 다양한 요소에 의해 영향을 받는다. 또한, 정치는 정치인들의 성향, 이념, 정책 등에 의해서도 영향을 받는다.

정치는 사회의 발전에 중요한 역할을 한다. 정치는 사회의 갈등을 해결하고, 사회의 안정을 유지하는 데 이바지한다. 또한, 정치는 사회의 발전을 위한 정책을 수립하고, 이를 실행함으로써 사회 발전을 촉진한다.

기업과 정치가 불가분의 관계인 것처럼 정치와 경영은 서로 밀접한 관계가 있다. 정치는 기업의 활동을 규제하고, 보호하는 역할을 한다. 또한, 정치는 기업의 경영 환경을 조성하는 데 영향을 미친다.

기업은 정치적 환경을 고려하여 경영 활동을 수행해야 할 필요성이 있으며 정치의 변화를 파악해야 성공적인 경영이 가능하다. 그러므로 경영학적으로 정치를 바라보면서도 정치 그 자체에 대해서 '불가근불가원'의 태도를 유지하면서 혁신적인 경영적 관점에 따라 기성적 태도에 속박되지 않으면서 정치에 관심을 기울일 필요가 있고 이러한 점을 국제지역학에서도 창조적으로 응용하여 제대로 살펴보아야 한다.

V. 결론

국제지역학과 아시아지역학의 상호 관계와 경영학에서의 토대를 살펴보고 국제지역학이 경영학개론 혹은 경영과학 그 자체인 것을 알 수 있었다.

또한 국제지역학에 있어 경영학적 토대는 아시아지역학의 다른 하위의 것에 비해서 상당히 깊고 많은 학술적 영향 위에 있다고 할 수 있다는 것도 알 수 있었다.

그러한 발견 속에서 다양한 하위 과목의 연관성을 살펴보면서 국제지역학은 상당히 학술적으로 풍부하면서도 경영학적 관점을 충실히 이행하면서 아시아를 상당히 독창적으로 바라보는 것에 훌륭한 학술적 수단으로 사용할 수 있다는 점도 고루 살펴볼 수 있었다.

제 2 부

경제학

Economics

Ⅰ. 머리말

아시아지역학은 아시아라는 독립적 실체에 대해서 경영학적 방법을 사용하여 규명한다. 이러한 경영학적 방법의 속에는 반드시 경제학 원리가 내포되어 있다.

특히 경제학은 희소한 자원제약하에 무한한 인간의 욕망을 충족시키는 것, 즉 경제문제를 해결하고자 하는 근원적이면서도 실용적인 학문이다.

이와 같은 경제학에서 현대경제의 활기찬 모습을 경제학의 기본 원리를 통해 이해하고, 나아가 경제생활을 통해 직면하는 각종 현실의 경제문제들을 해결해 나갈 힘을 배양하고 자본주의 경제운용의 핵심인 수요와 공급의 원리를 이해하고, 이에 기초하여 개별소비자의 효용 극대화의 원리와 기업의 이윤 극대화 원리를 이해하는 가운데 생산활동과 관련하여 생산함수와 비용함수의 특징을 자세히 정리한 뒤, 경쟁시장, 독점시장, 독점적 경쟁시장, 과점시장에서의 이윤 극대화 생산량과 가격설정의 원리를 살펴보면서 생산 요소 가격의 결정 원리와 후생을 극대화할 수 있는 시장 형태에 대해서도 이해를 증진해야 할 필요성이 있다.

이처럼 경제학을 통해서 기본적인 경제이론을 폭넓게 학습함으로써 적정 경제행위에 대한 분석은 물론 바람직한 시장 형태에 대한 이해를 증진함으로써 경영적 마인드를 갖추어 경영학에 대한 바른 이해가 충족된다.

다만 이러한 경제학적 접근만 갖춘다면 아시아지역학에서 경제학을 제대로 활용할 수 없으므로 아시아지역학적 경제학을 학술적으로 수립할 필요가 있다.

아시아지역학에서의 경제학은 회계학이 상당한 비율을 차지한다. 이는 아시아지역학이 경영학을 통해서 관통하는 가운데 금전으로 바라보는 부분이 상당하므로 이를 회계를 통해 효율화하여 일목요연하게 바라보아야 하기 때문이다.

그러므로 회계 원리에 대한 깊은 고찰과 이해가 수반되며 관련 경제학적 이론의 연관성을 살펴보면서 아시아지역학 특유성에 맞는 경제학으로 변형하여 경제학을 아시아지역학적 경제학으로 좀 더 진화시켜서 바라보아야 하는 것이다.

II. 아시아지역학적 경제학

아시아지역학적 경제학은 기본적으로 경제학을 아시아지역학에 맞게 변형한 것이다. 일반적으로 배우는 경제학개론 위에 아시아의 특수성도 함께 추가하여 상호 복합적으로 다루는 형태이다.

그 학문에 있어 하위 과목으로 시장조사론, 북한학, 자기경영학습법 I, 진로탐색 등이 있으며 아시아지역학적 경제학 특성상 회계원리가 상당한 비중을 차지하므로 회계원리의 비율이 큰 학문적 하위 과목으로는 원가관리회계 I, 중급재무회계 I 등이 있다.

이러한 과목들은 아시아지역학적 경제학과 긴밀한 연관성을 가지는 것으로 볼 수 있다. 한편 그러한 하위 과목에 대해서 아래에 자세히 기술하고자 한다.

III. 아시아지역학적 경제학의 하위 과목

가) 시장조사론

영어로 'Market Research'라고 한다. 시장조사와 그 관련 이론은 시장의 구조와 수급을 파악하기 위한 시장조사, 수요 예측 등 자료수집 및 분석에 관련된 기법의 사용과 응용을 주로 탐색한다.

이는 경영학적 마케팅에 있어서 그 의사 결정에 필요한 자료를 수집·분석하는 절차와 방법을 이해하여 이를 응용할 수 있는 것에 이바지하고자 그러하다.

시장조사에 있어서 구체적으로는 조사 및 분석의 범위와 적용, 과학적 조사 방법, 경영에 필요한 마케팅 도구의 실질적 적용, 판매 분석, 시장동향 및 소비자 조사, 광고조사 및 효과 측정, 판매할당, 그리고 조사보고서의 작성과 정책 수립에서의 이용 등을 연구한다.

아울러 사례를 통해 실제로 조사기법을 적용하면서 시장조사의 주요 개념, 기능 및 관리기법의 이해를 득하고 부수적으로 인터넷 마케팅 조사 능력을 배양할 수 있으므로 시장조사론은 아시아지역학에서의 조사 방식으로 많이 사용하기도 하며 특히 아시아지역학적 경제학에서는 회계적 수단에 기초로 사용한다.

나) 북한학

영어로 'North-Korea studies'라고 한다. 아시아에서 가장 주목받는 지역이 한반도이고 가장 아시아적 특수성이 깊은 지역이 한반도이다. 이러한 한반도에서 한국 사회가 저출산 고령화의 영향을 받아 경제 성장률과 잠재 성장률이 하락하는 상황에 놓였다. 그 상황 속에서 한국 사회는 새로운 성장 동력을 필연적으로 요구한다.

이 가운데 통일대박론이 제시되면서 저성장의 늪에 빠진 한국 경제가 새로운 성장동력을 찾기 위해 통일을 주장하고 있으며 그 결과 아시아지역학에서도 북한에 대한 이해가 필요하다.

그러므로 북한은 단순한 아시아의 한 지역 혹은 국가로 그것이 이해되는 것이 아니라 아시아와 한국 경제의 히든카드로써 새로운 경제적 변수로 관찰하고 분석해야 한다.

북한의 경제는 현대 아시아에서 가장 사회주의 계획 경제 체제가 강한 국가로서 자본주의 경제학이 주류인 한국 사회에서 별도의 경제학적 지식이 없이는 오도하여 접근될 수밖에 없다.

그러므로 북한이라는 대상을 철저히 경제학적으로 봐야 하고 통일과 사회주의라는 두 키워드를 중심으로 해서 경제학적 접근이 학술적으로 필히 요구된다는 것을 알 수 있으며 북한의 회계에 대해서도 관련 자료의 확보 필요성도 요구됨을 알 수 있다.

다) 자기경영학습법 Ⅰ

영어로 'Self-management Learning method Ⅰ'이라고 한다. 경제학은 그 학문 특성상 스스로 하는 학습이 몹시 중요하며 특히 아시아지역학적 입장에서 경제학 공부는 대부분 독학으로 이루어진다. 그러므로 자기경영학습법에 대한 이해가 있어야지만 경제학 학습을 더욱 쉽게 할 수 있다.

자기경영학습법은 자기관리와 학습법을 결합한 개념으로 자신의 꿈과 목표를 달성하기 위해 스스로의 삶을 관리하고 자발성을 강화하여 학습하는 방법을 말한다.

자기경영학습법을 익히면 목표를 달성할 수 있는 가능성을 높일 수 있다. 자기경영학습법을 통해 자신의 꿈과 목표를 명확히 하고, 이를 달성하기 위한 구체적인 계획을 세울 수 있다. 또한, 계획을 실천하기 위한 동기부여를 강화하고 실천 과정에서 발생하는 어려움을 극복할 수 있는 구체적인 능력을 키울 수 있다.

한편 학습 효율성도 높일 수 있다. 자기경영학습법을 통해 자신의 학습 스타일을 파악하고, 이에 맞는 학습 전략을 세울 수 있다. 또한, 학습 시간과 공부 방법을 효율적으로 관리할 수도 있다.

이처럼 자기경영학습법은 누구나 쉽게 실천할 수 있는 방법이다. 이를 잘 익히고 실천함으로써 자신의 학문적 성취와 꿈과 목표를 달성하고 더 나은 삶을 살아가기 위한 기반도 마련할 수 있을 것이다. 또한 아시아지역학적 경제학 학습의 하나의 수단이자 회계에 대한 이해를 높이는 것에도 유용히 사용되는 방법이다.

라) 진로탐색

영어로 'Career Exploration'이라고 한다. 자기 적성과 흥미, 가치관 등을 바탕으로 자신의 미래를 설계하는 과정을 진로탐색이라고 한다. 이러한 진로탐색은 아시아지역학적 경제학에서 특정 진로에서의 경제학 활용을 요구하므로 미리 탐색하여 방향을 설정해야지만 효율적인 학습이 가능하다는 점에서 그 사용이 요구된다.

한편 일반론적인 의미에서 진로탐색은 자기 적성과 흥미를 발견하는 데 도움이 되고 자신의 강점과 약점, 관심 분야 등을 파악할 수 있으며 이를 바탕으로 자신에게 적합한 진로를 선택할 수 있다.

또한 진로탐색은 자신의 미래를 설계하는 데 도움이 되며 자신의 목표와 비전을 세울 수 있고 그 분석 결과를 바탕으로 자신의 미래를 위한 계획을 세울 수 있다.

이외에도 진로탐색은 자기 삶의 만족도를 높이는 데 도움이 된다. 자신이 원하는 진로를 선택하고 이를 통해 성공을 거두면 삶에 대한 만족도가 높아진다.

이러한 진로탐색은 청소년기부터 시작하여 평생에 걸쳐 이루어져야 하는 과정이다. 진로탐색을 통해 자기 적성과 흥미를 발견하고, 자신의 미래를 설계함으로써 자신의 삶을 더욱 주체적으로 살아갈 수 있으며 아시아지역학적 경제학 학습과 회계원리의 이해에도 도움이 된다고 할 수 있다.

마) 원가관리회계 I

영어로 'Cost Managerial Accounting I'이라고 한다. 일반적으로 모든 경영에서는 끊임없는 의사 결정의 연속이므로 내부관리자는 다양한 형태의 정보가 있어야 한다. 또한, 정보를 이용하는 이용자의 유형도 다양하므로 이에 필요한 정보를 창출하고 기업의 경영 관리에 필요한 관리기법을 습득하여 경영 활동에 적극적으로 활용할 수 있어야 한다.

그러므로 원가의 기초 지식을 토대로 원가행태 즉, 고정비와 변동비 구분을 이해하고 이를 바탕으로 기본 원리를 체계적으로 습득하여 알아야 한다.

아울러 여러 유형의 사례를 반복하여 살펴서 관리회계의 기업에서의 중요성, 관리회계 활용기법의 터득, 문제점의 대응 방법과 실제 기업에서의 사용 방법 실례를 올바르게 이해해야 한다.

이는 아시아지역학에서 회계에 이러한 것들이 몹시 중요하게 작용하므로 이를 깊이 있게 살펴야지만 아시아지역학에 대해 수준 높은 이해가 가능하기 때문이다.

바) 중급재무회계 I

영어로 'Intermediate Financial Accounting I'이라고 한다. 일반적으로 모든 경제 공동체는 결산 시 계정과목별 금액을 산정하여 재무제표를 작성하므로 회계를 알고자 하면 이를 반드시 할 수 있어야 한다.

또한 아시아 상황의 맞는 특수한 성격의 회계 문제를 파악하고 이를 해결하기 위한 실제 적용 기법과 관련 이론에 대해서고 심도 있게 파악해야 한다.

또한 아시아의 회계 기준과 국제 회계 기준을 비교 분석하면서 아시아의 특유한 회계와 관련 문화에 대한 이해도 반드시 필요로 한다.

이를 통해서 아시아 경영 실무에서 회계 관련 문제에 대해 합리적 대안을 제시할 수 있고 회계정보에 대한 이해를 제고하여 회계정보를 이용한 합리적인 의사 결정도 숙고할 수 있다. 또한 아시아지역학적 경제학에서의 중요한 부분의 이해와 연구에도 도움이 된다.

IV. 결론

아시아지역학적 경제학에서의 경영학적 토대를 살펴보고 많은 학술적 영향 위에 있다고 할 수 있다는 것도 심도있게 알 수 있었다.

그러한 발견 속에서 다양한 하위 과목의 연관성을 살펴보면서 학술적으로 풍부하면서도 경영학적 관점을 충실히 이행하면서 아시아를 상당히 독창적으로 바라보고 있다는 점도 고루 살펴볼 수 있었다.

제 3 부

국제행정론

International Administration

Ⅰ. 머리말

아시아지역학에서 국제적 관점을 지향하면서도 경영학을 접목하면 개별 국가의 활동이 국제적으로 미치는 것의 중요성과 그 학문적 존재감이 상당하다고 할 수 있다. 이를 일목요연하게 보기 위해서 국제행정론이 필연적으로 차용되었다.

국제행정론은 세계화 추세 속에서 다양한 국제 행정 현상의 이해를 목적으로 하며 경제의 세계화, 국제 세력 균형의 변화와 이에 대응한 IGO, NGO들의 활동을 탐구하고 관련한 시사 현안을 분석하고 조사해야 한다.

이러한 과정에서 세계화 과정에서 벌어지는 다양한 국제현상에 대한 비판적 시각을 통해 바라보고 그 근원을 살펴보아야 한다.

국제 행정에서 가장 중요한 것은 인적자원을 효율적으로 관리하는 것이다. 이러한 인적자원은 특히 21세기 아시아에서는 상당히 중요하게 여겨진다.

특히 아시아를 비롯한 글로벌 시장에서 지속적인 경쟁우위를 확보하기 위해서는 가치 창출의 원천인 유능한 인재의 확보와 유지가 무엇보다 중요하다.

그러므로 아시아의 다양한 조직의 전략적 목표를 인식하고 급변하는 경영 환경에 유연하게 대처할 수 있는 인적자원의 채용과 활용, 보상 및 능력개발에 관한 다양한 이론들과 실무지식과 인적자원관리에 관한 최신의 국내외 기업사례 분석과 산업현장의 트렌드를 파악할 수 있어야 하며 이러한 부분이 국제행정론의 핵심이다.

II. 국제행정론과 인적자원관리

국제행정론은 기본적으로 아시아지역학에 맞게 변형한 것이다. 일반적으로 배우는 인적자원관리를 중시하는 경영학적 국제행정론 위에 아시아의 특수성도 함께 추가하여 다루는 형태이다.

그 학문에 있어 하위 과목으로 인간관계론, 리더십, 인간학, 인사행정론 등이 있다. 이러한 과목들은 국제행정론과 긴밀한 연관성을 가지는 것으로 볼 수 있다.

또한 국제행정론을 익히면서 인적자원의 심화된 관리에 있어서는 경영학원론, 조직행동론, 조직구조론, 리더십론, 노사관계론, 경영윤리, 경영전략과 같은 이론을 두루 살펴보면 더욱 도움이 되므로 익힐 필요가 있다.

한편 그러한 하위 과목에 대해서 관련 사항과 인적자원관리를 비롯한 이론적인 구체적 배경에 대해 아래에 자세히 기술하고자 한다.

III. 국제행정론의 하위 과목

가) 인간관계론

영어로 'Human Relations'라고 한다. 아시아를 비롯한 모든 사회에서 타인과 함께 살아가기 위한 인간관계의 필요성과 중요성은 사회적 존재인 인간에게 몹시 중요하다. 이는 아시아지역학을 연구하는 것에도 거의 그러하다고 할 수 있는 셈이다.

아시아라는 사회 공동체의 가장 미시적인 사회적 관계를 이해하고자 한다면 그 이론과 기술을 습득하여 아시아의 성숙한 인간관계들을 먼저 이해해야 할 필요성이 있다.

나아가 인간관계의 개념과 본질을 이해하고, 인간관계를 증진시키는 데 필요한 이론 및 관련 기술을 습득하며 의사소통과 심리분석 이론을 바탕으로 한 개인 및 집단의 인간관계기술을 이해하는 것으로 확장할 필요성이 있다.

또한 아시아 특유의 의사소통 방식과 기법을 습득하고 아시아인과 인간관계를 맺을 때 갖추어야 할 자세 및 태도를 이해할 수 있으며 관련한 인지, 정서, 행동발달 관련 제 이론을 습득해 건전하고 효과적으로 인간관계를 형성한 아시아의 여러 사회 구성체를 살펴보는 것으로 나아갈 수도 있다.

나) 리더십

영어로 'Leadership'이라고 한다. 인간은 강력한 존재가 끌어주기를 바란다는 말처럼 리더십은 모든 공동체의 구성에 필연적이다. 이러한 법칙에서 아시아도 예외가 아니다. 아시아의 리더십을 이해한다면 지배층의 형성과 담론에 대해서도 이해할 수 있다.

한편 리더십은 조직목표 달성을 위해 모든 조직의 리더가 갖추어야 할 요소이므로 그 실체 및 본질을 이해하고 지식정보화사회에 부합하는 혁신적 리더십 개발을 위한 방법론을 연구하는 데 그 목적이 두어야 한다.

따라서 리더십의 실체 및 본질을 이해하고 리더십 개발 방법론 연구를 통해 리더십 역량을 함양하고 변혁적 리더십과 팀 리더십에 대해 배운다. 또한 리더십 개발과 관련한 리더십 기술 개발의 중요성, 리더에게 요구되는 리더십 기술, 리더십 변화 과정도 살펴야 한다.

아울러 이론과 더불어 국내외 사례분석 및 토의를 통한 리더십에 대한 전문적 지식 및 기법을 체득하여 아시아의 시대가 요구하는 잠재력을 개발, 진정한 리더로 성장할 수 있는 능력과 그 요소도 살펴서 아시아 특유의 리더십을 이해해야 한다. 이를 통해서 리더십이 인적자원관리에 미친 영향력도 동시에 파악해야 한다.

다) 인간학

영어로 'Study on Human'이라고 한다. 우리 모두가 인간인 것처럼 아시아라는 것도 근본적으로는 인간이 만든 개념이다. 고로 아시아인을 이해하는 것이 아시아지역학의 근원이기에 '인간이란 무엇인가'라는 질문에 총체적이고 다각적해답을 제시하는 인간학에 대해 깊은 고찰이 필요하다.

인간의 화학적, 생물학적 조건을 비롯한 인간의 내면적 정신세계와 행동양식 및 인간의 공동체를 연구하는 인간학을 학습하여 인간에 대한 탐구의 출발점으로 인간의 기원에 대한 다양한 관점을 편견 없이 두루 바라보아야 한다.

이외에 인체의 신비와 더불어 인간의 의식의 발달, 내면 의식을 통해 근대 이후 인간 자신에 대한 자각을 통해 생명의 존엄성, 자유와 성숙의 문제에 고민한 흔적을 아시아의 사례를 가지고 바라보아야 한다.

개인과 공동체의 관계를 보면서 더 나아가 인간과 자연의 문제를 고찰하고 올바른 이해를 바탕으로 인적자원이 중요성을 명심하고 인간 존엄성을 인식하며 창조적인 시각에서 아시아인을 바라볼 필요가 요구된다.

라) 인사행정론

영어로 'Personnel Administration'이라고 한다. 20세기 이후 아시아 국가들이 서구로부터 독립하면서 개별적인 정부가 수립되고 각자 특유한 행정을 하면서 그 차이가 심화하고 있다.

특히 인사가 만사라는 말처럼 인사행정은 그 중요성이 가장 상위에 있으며 그것을 알아야지만 아시아 국가들의 행정과 인적자원관리 전반을 알 수 있어 아시아지역학의 이해에도 도움이 된다.

아시아 정부들의 인적 자원 확보 및 개발, 관리, 통제 등 효율적인 인적자원관리를 통해 정부 조직의 정책 결정 및 집행 능력을 향상하고 양질의 행정서비스를 제공할 수 있도록 하는 방안을 모색할 필요도 있다.

또한 이를 위해 인사행정론의 이론체계와 발전 과정을 학습하고 인사행정의 전개 과정을 통하여 인사행정의 원리, 인사기관, 공직의 분류, 직무분석과 평가, 모집, 채용, 교육 훈련, 근무성적평정, 보수제도, 승진 전보, 인간관계, 사기, 복무 규율 등을 다루어야 한다.

그리고 아시아 개별 국가 정부의 인적 자원을 효율적으로 활용할 수 있게 되고 인사행정을 통해 인적자원관리 전반에 대한 기본적 이해력을 높이고 각종 인사문제를 해결할 수 있으며 경영학적 관점에서 인사 전반을 바라보는 지혜도 얻을 수 있을 것이다. 또한 이를 통해 인적자원관리에 미친 영향도 알 수 있다.

Ⅳ. 결론

국제행정론에서의 경영학적 토대를 살펴보고 많은 학술적 영향 위에 있다고 할 수 있다는 것도 깊게 알 수 있었다.

그러한 발견 속에서 다양한 하위 과목의 연관성을 살펴보면서 학술적으로 풍부하면서도 경영학적 관점을 충실히 이행하면서 국제행정론이 아시아를 상당히 독창적으로 바라보고 있다는 점도 고루 살펴볼 수 있었다.

제 4 부

정치학

Introduction to Political Science

Ⅰ. 머리말

아시아지역학에서 정치학은 일반적인 정치학과는 다른 접근법을 요구한다. 그 특성상 정치학 중에서도 정치경영학적 관점에서 정치학을 바라보지만, 그 밖에도 아시아지역학과 경영학에 모두 부합하도록 정치학이 개조하여 손질된다.

아시아지역학적 정치학은 그 개별적 이론을 배우고 활용하여 현실정치 현상을 이해하고 분석할 수 있는 능력을 배양해야 하는 데 특히 세계화가 진행되는 현 상황에서는 국제경영 능력을 갖추는 것이 그 기본이 된다. 글로벌화된 환경은 어떤 것인지를 이해하고, 최근의 글로벌 경영환경에서 주요한 전략적 이슈에 대하여 이해하고 경영정보에 대한 기초를 이해해야 한다.

한편 현대사회에서 경영정보에 대한 요구가 증가하고 정치학에서도 경영정보를 활용한다. 이러한 경영정보를 얻는 과정에서 국제경영적 마인드를 활용한다. 이 과정에서 4차 산업혁명 시대를 맞이하여 현대의 업무환경과 비즈니스 환경 그리고 정보기술 환경은 하루가 다르게 급변하고 있는 현실을 실감해야 한다.

또한 이러한 현실은 현재의 구성원들과 미래의 구성원들로 하여금 정보기술과 정보시스템에 대한 보다 정확하고 바른 이해와 활용 능력을 요구하고 있다. 이러한 현실적 요구에 맞기 위해서 실무에서 사용되고 있는 다양한 정보시스템을 바르게 이해하고 정보시스템과 관련된 기초지식을 학습하는 것이 중요하다.

정치학적 이해의 바탕 속에서 국제경영적 마인드와 세계화의 마인드를 가지고 경영정보 및 경영정보시스템의 의미와 역할, 경영전략 및 정보전략, 데이터관리, 비즈니스프로세스와 전사적자원관리, 데이터 통신은 물론, 경영정보시스템의 실제 활용 방법을 이해해야 한다.

또한 개인의 업무 처리 능력 향상 및 데이터 관리 및 전사적자원관리를 위한 소프트웨어 패키지를 이용한 실습도 확립해야 한다. 이를 통해서 아시아지역학적 정치학의 본질을 이해하게 될 것이다.

II. 아시아지역학적 정치학

아시아지역학적 정치학은 기본적으로 정치학을 아시아지역학에 맞게 변형한 것이다. 일반적으로 배우는 국제경영과 경영정보론이 접목된 정치경영학 위에 아시아의 특수성도 함께 추가하여 다루는 형태이다.

이러한 학문에 있어 하위 과목으로 무역학개론, 국토와환경, 식생활과문화, 헌법 I, 채플 I, 서양고중세철학사, 정치학개론, 지방행정론, 인도개관, 인도인은누구인가?, 처음 만나는 인도, 인도비즈니스입문, 기숙대학생을 위한 온라인 세계시민교육 등이 있다.

이러한 과목들은 아시아지역학적 정치학과 긴밀한 연관성을 가지는 것으로 볼 수 있다. 한편 그러한 하위 과목에 대해서 아래에 자세히 기술하고자 한다.

III. 아시아지역학적 정치학의 하위 과목

가) 무역학개론

영어로 'Introduction to International Trade'라고 한다.

기본적으로 무역학개론은 국가 간의 상거래 현상에서 발생하는 여러 가지 문제들을 연구하는 실천적인 학문이다. 무역학은 국제무역학과 무역실무학으로 나눌 수 있다.

국제무역학은 국가 간의 무역이 발생하는 원인과 특성, 효과 등을 연구하는 학문이며, 무역실무학은 국제무역의 실제적인 거래 절차와 방법 등을 구체적으로 연구하는 학문이다.

위의 무역학을 개론에서는 개괄적이고 총체적인 내용을 소개하는 기초적 역할을 하며 무역학의 학문영역, 접근방법, 국제무역의 기초이론, 무역실무의 기초이론, 국제경영의 기초 분야 등 무역학 전반을 학습함으로써 기초 지식을 배양하고 국제경영에 대한 이해도를 높이는 것에도 크게 도움이 된다.

한편 이를 통해서 무역의 기본 개념과 원리도 이해하고 국제무역의 현황과 문제점을 분석함으로써 경영정보에 대한 정보를 능동적으로 수집할 수 있으며 무역과 관련된 다양한 분야에서 활약할 수 있는 인재로 성장할 수 있다.

나) 국토와환경

영어로 'Territory and Environment'라고 한다. 아시아는 세계에서 가장 다양한 자연환경과 다양성을 가지고 있으며 그 근원은 개별 국가의 국토와 다양한 문화에서 기인한다.

이러한 아시아의 국토와 환경은 삶의 터전으로 생활국토, 국가 및 지역경쟁력의 원천으로서 자원국토, 그리고 미래세대에 물려줄 유증 가치로서 환경국토를 포함한 모든 개념에서 우수하다고 할 수 있다.

최근 대두되고 있는 '지속 가능한 발전'은 현세대의 필요와 미래세대의 수요를 함께 충족시키려는 통합적·균형적·생태적 개념이기에 다양한 각도에서 다채롭게 논의 되고 있다.

따라서 국토와 환경의 통합적·균형적·생태적 발전에 대한 체계적이고 종합적인 연구에 중점을 두어 살펴보아야 한다. 또한 국토와 환경에 대한 현상적인 문제뿐만 아니라, 이에 대한 처방까지 포괄적으로 다루어 볼 필요가 있다.

이처럼 국토와 그 환경에 대해서 살펴보고 연구하는 것은 다양한 환경을 살펴서 경영에 큰 도움을 줄 수 있으며 기본적으로 경영에 대해 살펴보고자 한다면 또한 어떠한 국가에 진출하고 시장에 진입하고자 한다면 반드시 해야 하며 이렇나 부분을 다채롭고 폭넓게 살펴봐야 하는 것이다.

다) 식생활과문화

영어로 'Food and Culture'라고 한다. 인간의 삶과 그 발전은 식생활 문화를 바탕으로 형성되며 지구상의 민족 집단은 생활환경을 배경으로 유사한 음식물을 공유하면서 살아가고 있으므로 식생활은 몹시 중요하다.

특히 의식주 중에서 한국이 유일하게 서방의 것이 주류가 되지 못한 것이 식생활이므로 그것이 가장 개별 민족의 특성을 드러내고 있음을 알 수 있다.

또한 아시아는 세계에서 가장 다양한 식생활 문화를 가지고 있으므로 식생활과 문화의 중요성을 이해하기 위하여 식생활 문화의 형성 요인 및 발전 과정에 대해 알아야 한다.

또한 아시아의 전통적 식생활 문화의 특성을 비롯해 기본적이고 올바른 식생활 문화를 위한 통과의례와 식생활, 식생활 문화의 개념과 형성 요인 및 발전 단계, 역사적인 체험 및 문화유산 등을 살펴보아야 한다.

이러한 식생활 문화는 개별 민족의 접근을 넘어 하나의 문화적 코드이므로 경영에 있어 문화적 이해에 필수적인 것으로 알 수 있다. 그러므로 식생활과 그 문화를 경영학적으로도 반드시 이해해야 아시아의 시장적 접근이 가능하다는 것도 깊게 명심해야 한다.

라) 헌법 I

영어로 'The Constitutional Law I'이라고 한다. 아시아

를 비롯하여 국제적으로 근대 국가가 형성되면서 국가의 최고법규범으로써 헌법의 지위는 그 내용과 실질적 기능에 상관없이 굳건히 형성되었다.

이러한 헌법은 개별 국가에 접근하기 위해 필수적으로 이해해야 하며 그 헌법학적 개념들을 명확히 이해하기 위해 아시아 국가의 헌법적 기원과 발전의 역사적 맥락을 살펴보고 그 사상적 기초와 기본원리를 터득할 필요가 있다.

또한 헌법의 가장 규범적 규율로 기본권에 대한 포괄적인 이해도 필수적으로 수반해야 한다. 그리고 하위 법률의 일반 이론과 더불어 이를 적용한 각국의 판례들을 함께 살펴봄으로써 아시아 경영에서 어떻게 헌법이라는 규범이 실천적으로 구현되고 있는지 중요하게 고찰해야 한다.

이를 바탕으로 전체적인 아시아 국가 질서를 규율하는 헌법이 어떻게 운용되는지 방향성을 인식함으로써 구체적인 헌법의 총체를 경영학적 관점으로 적용하여 다룰 수 있는 분석 능력과 추론 능력을 배양해야 한다.

또한 위와 같은 능력을 통해서 실제 일상에서 만날 수 있는 여러 가지 현실적 문제에 대해서 구체적 해결책을 창의적으로 도출하고 제시할 수 있는 능력을 제고하는 것도 깊게 인식해야 한다.

마) 채플 I

영어로 'Chapel I'이라고 한다. 채플은 그리스도교에서 예배를 드리는 공간을 지칭하는 영어단어로 일반적으로는 종교재단의 학교에서 정기적으로 이루어지는 예배나 종교 수업을 의미한다.

그런데 이 책에서 그리스도교라는 직접적이고 종교적인 단어를 쓰지 않은 것은 우리는 아시아지역학적 관점에서 그리스도교를 살펴보아야 하기 때문이다.

세계적으로 가장 많은 종교도 그리스도교이고 아시아에서도 그 교인의 숫자가 상당하며 그리스도교를 믿지 않더라도 아시아 전역에 미치는 영향력이나 관습은 상당하다. 고로 아시아에서 문화적으로 가장 많은 영향을 주는 종교는 그리스도교이다.

아시아지역학적으로 그리스도교를 살펴보면 그 교리에 관심을 가지는 것이 아니라 그리스도교의 성서의 학술적 측면을 살펴보고 그 영향을 보아야 하는 것이다.

그러므로 성서의 아시아지역학적 지혜를 살펴보고 아시아에서 그리스도교가 미치는 영향을 정치학적으로 살펴본다면 아시아지역학의 연구와 학습에도 깊은 도움이 될 것이다.

바) 서양고중세철학사

영어로 'History of Ancient-Medieval Western Philosophy'라고 한다. 학문의 뿌리는 철학이며 철학이 그 뿌리이지 않은 학문은 없다.

다만 아시아지역학과 같은 응용학문은 이와 다소 거리가 있어 이를 잘 인식하지 못한다. 그러나 아시아지역학은 의외로 철학과 깊은 관계가 있으며 철학의 발전이 미치는 영향이 상당히 크다.

그러므로 철학에 대한 이해는 경영학에 있어 필수적이며 당연히 아시아지역학에 있어서도 필연적이다. 특히 현대 철학은 그 근원이 서양 철학이므로 그 출발점인 고대 그리스와 로마 철학에서 중세 시기 철학에 이르기까지 기본적인 서양 철학 발전의 흐름을 개괄하고, 서양 철학 개념과 이론의 발전 맥락을 경영학적으로 이해할 필요가 있다.

또한 서양 고대철학 시기에 자연철학자들을 거쳐 소피스트, 소크라테스, 플라톤, 아리스토텔레스 등의 철학자를 통해 서양 철학의 핵심적이고 주요한 철학 개념들과 이론들이 확고히 자리 잡았다.

이러한 과거의 이론적 토대를 통해 서양 중세 시기에는 신학의 입장에서 이전의 다양한 철학적 입장들을 총괄했다.

따라서 중세 철학의 대표적 학자인 아우구스티누스와 토마스 아퀴나스의 논의를 통해 중세 철학의 기본적 철학 개념들과 이론의 발전 맥락을 살펴보아서 이를 통해 서양 철학의 이론적 발전 상황을 파악함으로써 후대 철학에 미친 영향을 평가하는 기준도 확립해야 중립적인 자세에서 철학을 긍정적으로 활용할 수 있는 것이다.

사) 정치학개론

영어로 'Introduction to Political Science'라고 한다. 현대 시대가 도래하면서 정치는 개별 위정자의 소유가 아니라 모든 민주 시민의 소유로 경영학을 이해하고 학습하는 민주 시민으로서의 정치학은 단순한 기본소양을 넘어 중요한 학문이고 경영학에도 깊은 영향을 주고 있으므로 정치학 전반에 대한 이해를 도모함과 동시에 올바른 학술적 의식을 함양하도록 해야 한다.

이를 위해서는 경영학적 입장에 의해서 기본적인 정치학 핵심 개념과 국가, 정치체제, 정치이념, 정치문화, 정치사회화, 정치과정 등을 살펴보아야 한다.

또한 전통적 법질서 이념인 법치주의의 바탕으로 정당과 의회, 관료제와 공공정책 등을 고찰하며 더 나아가 국제정치,

남북 관계 등에 대한 기본적 지식과 이해를 함양해야 한다.

이를 바탕으로 기본적인 정치학 개념을 이해하고 현대사회의 정치 현상을 분석함으로써 민주시민으로서의 올바른 정치의식과 자질 함양을 기대할 수 있고 경영학의 이해를 높이며 현실 정치의 탐색에도 도움을 주어 아시아지역학의 개별적 국가에 대한 깊은 이해에도 올바른 도움이 될 수 있다고 할 수 있다.

아) 지방행정론

영어로 'Local Administration'이라고 한다. 기본적으로 지방행정론은 지방행정에 관한 학문으로, 지방행정의 기본 개념, 구조, 기능, 운영 등에 대해 연구하는 학문이다. 지방행정은 국가의 행정권을 지방에 분산하여 행사하는 것을 말한다. 지방행정론은 지방행정의 발전을 위한 이론적 토대를 제공하고, 지방행정의 효율성과 효과성을 높이려는 방안을 제시하는 데 이바지한다.

지방행정론은 크게 두 가지 관점에서 연구될 수 있다. 첫 번째는 지방자치의 관점에서 연구하는 것이다. 지방자치는 주민이 주권을 행사하는 방식으로, 지방행정은 지방자치의 구현을 위한 수단으로 볼 수 있다. 따라서 지방행정론은 지방자치의 의미, 가치, 원리, 제도 등에 대해 연구한다.

두 번째는 지방행정의 관점에서 연구하는 것이다. 지방행정은 국가의 행정권을 지방에 분산하여 행사하는 것이다. 따라서 지방행정론은 지방행정의 조직, 기능, 운영 등에 대해 연구한다. 지방행정의 조직은 지방자치단체, 지방의회, 지방의회 의장, 지방자치단체장 등으로 구성된다. 지방행정의 기능은 주민의 복리 증진, 지역 사회의 발전, 국가의 발전에 이바지하는 것으로 구분된다. 또한 그 운영은 지방자치단체의 예산, 인사, 조직, 정책 수립 및 집행 등에 관한 것이다.

이러한 지방행정론은 아시아지역학에서 특히 중요하다. 아시아지역학이 아시아 경영에 대해 다루므로 아시아는 그 다양성이 있으므로 개별 지방에 대한 자치성이 높아 그 지역에 대한 이해가 필요하므로 지방행정론을 통해 이를 학술적으로 올바르게 고찰하는 데 도움이 된다고 할 수 있다.

자) 인도개관

영어로 'Introduction of India'라고 한다. 인도는 21세기의 떠오르는 국가 중 하나로 아시아에서 그 영향력은 고대부터 상당했으나 현대에 이르러 경제적 성장과 규모로 그 존재감을 강하게 확대하고 있다. 또한 문화적 다양성과 인류학적 가치도 작지 않으므로 여러 부문에서 깊은 학술적 연구와 학습이 급격하게 요구된다.

인도의 정치, 경제, 사회, 문화, 지리 등 제반 측면의 기본적 이해하며 인도의 중요성을 포함한 국제적 위상을 살펴보면 아시아지역학에 있어 새로운 길이나 색다른 부문도 살펴볼 수 있을 것을 전망된다.

그러므로 인도의 기본적 특성과 기본적 형태에 대해 깊이 있는 학습과 탐구를 해야 하며 아시아에서의 그 역할도 한 번 깊게 상기할 필요가 있다.

차) 인도인은누구인가?

영어로 'The Thought Way of Indian People'이라고 한다. 해당 국가를 이해하기 위해서는 그 나라의 사람을 이해하는 것이 기본이다. 그러므로 인도를 이해하려면 제일 먼저 인도인에 대해 이해해야 인도에 대한 이해를 시작할 수 있으며 아시아지역학과 경영학적으로 인도를 바라볼 수 있다.

인도인은 세계 인구의 약 17%를 차지하며 남아시아의 인도와 그 주변 국가들에 거주하고 있다. 종교적으로는 힌두교, 이슬람교, 기독교, 불교, 시크교, 자이나교를 주로 믿으며 언어로는 힌디어를 주로 쓰고 남부에서는 타밀어, 텔루구어 등을 사용하기도 한다.

사회적 기준에서 카스트 제도의 영향을 받아 다양한 계층으로 나뉜다. 카스트 제도는 인도의 전통적인 신분 제도로 오늘날 인도에서는 헌법상 인정되지 않아 카스트 제도의 영향력이 약화하였지만, 여전히 인도 사회에 큰 영향을 미치고 있다. 또한 힌두교의 경우 다신교적 특성으로 다양한 문화적 풍부성을 가지고 있으면서도 국제적으로 4위의 신도 규모와 상당한 영향력을 가지고 있고 한국에도 관련 신도 그룹이 있을 정도이다.

인도인은 다양한 언어, 종교, 문화를 가진 민족으로, 인도 사회의 다양성을 대표하는 존재이다. 인도인은 아시아에서 중요한 역할을 행하고 있으므로 정교하게 살펴보아야 한다.

카) 처음 만나는 인도

영어로 'An Introduction to India'라고 한다. 인도를 바르게 살펴보고자 한다면 먼저 우리가 가진 편견을 버리고 중립적인 자세로 살펴보아야 한다. 그렇기에 우리는 앞에 일부로 부정관사 'a'를 붙였다.

인도에 대해 가진 편견을 열거하면 대부분 더럽고 부정적인 것이다. 그것에 천착되어 사로잡힌다면 우리는 아시아지역학적으로 인도에 대해 조금도 살펴보지 못하고 편견의 늪에만 허우적거려서 그것이 인도인지 아니면 도착한 곳이 아메리카 대륙인지 몰랐던 크리스토퍼 콜럼버스와 같게 된다.

부정관사는 대상이 특정되지 않아 이야기를 듣는 사람이 무엇인지 모르는 대상이기에 우리는 인도를 부정관사를 붙여서 바라봐야 한다.

무지의 장막을 두고 인도의 본 모습을 거리낌 없이 살펴본다면 국제경영에서 인도가 가지는 진정한 위상과 귀중함을 얻을 수 있을 것이다.

타) 인도비즈니스입문

영어로 'Introduction to India Business'라고 한다. 아시아 지역학적 관점에서 인도를 살펴보면 우리가 가장 중히 생각하는 것은 인도 비즈니스이다. 그러므로 우리는 인도의 경제 행위 및 문화, 법규제 등을 기반으로 인도인들의 경제 의식 및 비즈니스 행위와 형태 그리고 인도기업의 현지 경영 전략 및 관리, 해외시장 진출 전략, 생산, 구매, 노무 등을 학습하여 인도기업의 경영을 이해할 필요성이 요구된다.

또한 인도는 전통적으로 상업이 발달했으므로 인도인의 특성상 그들의 경영적 활동을 살펴보며 그들의 생각과 행동을 볼 필요도 있다.

인도인은 눈치가 몹시 빠르며 비즈니스에서도 상대방의 언어를 이해하지 못해도 그들의 행동을 통해 대략적으로 짐작하는 뛰어난 면모를 보인다.

한편 인도 상인들은 긍정적으로 이야기해도 그것이 꼭 긍정적으로 의미하지 않을 정도로 비즈니스 언어가 급격히 발전했으므로 발언에 대해 액면 그대로 받아들이지 말아야 한다는 점도 반드시 살펴야 한다.

파) 기숙대학생을 위한 온라인 세계시민교육

영어로 'World Citizenship Education for College Students Living in Dormitory'라고 한다. 오늘날의 세계는 상품, 사람, 서비스 등이 자유롭게 이동하는 초국적 사회로 급속히 변화하고 있다. 이러한 추세는 21세기가 되면서 세계화라는 이름으로 전 지구적으로 확산하면서 다양한 형태의 초국적 삶의 방식도 등장했다.

그러나 이러한 초국적 사회는 이주자에 대한 혐오와 편견 그리고 문화적 갈등이 확산하면서 새로운 삶의 방식에 대한 여러 문제가 증가하고 있다.

특히 가장 우리 사회에서 다문화적 사회를 한눈에 볼 수 있고 작은 지구촌으로 불리는 곳이 대학의 기숙사이다. 이는 외국인 유학생의 증가로 대학 기숙사만 들어가도 다양한 국적의 사람들을 만날 수 있다.

그러므로 기숙사생을 대상으로 한 세계화 교육이 가장 활성화되어 있지만 부족한 부문이 많다. 고로 '기숙대학생을 위한 온라인 세계시민교육'이라는 제목의 명칭에서 보듯 작은 지구촌인 대학 기숙사생을 위해서 세계시민교육을 온라인으로 쉽게 실시할 필요가 있다.

이를 통해서 대학 기숙사가 작은 지구촌 실험이 되고 사회적 공존을 관찰하면서 아시아지역학의 가장 큰 의의인 아시아의 고유성과 하나의 공존성을 찾고 국제적 감수성과 포용성을 얻어 국제적이고 새로운 비전을 찾을 수 있다.

IV. 결론

아시아지역학적 정치학에서의 경영학적 토대를 살펴보고 많은 학술적 영향 위에 있다고 할 수 있다는 것도 깊게 알 수 있었다.

한편으로 미국 자유당, 영국 자유민주당, 일본 공산당이 정치적으로 그 영향력이 커지는 것은 결국 가장 보수적인 정치 분야에서도 제3의 대안을 MZ세대를 중심으로 요구한다는 점에서 학술적으로도 아시아지역학이 새로운 제3의 대안이 되어 신선한 혁신과 메기 효과를 통해 서구 중심의 학문을 탈피하는 것에도 도움이 될 것으로 전망되며 그것을 아시아지역학적 정치학이 선두에 이끄는 것을 알 수 있다.

그러한 발견 속에서 다양한 하위 과목의 연관성을 살펴보면서 학술적으로 풍부하면서도 아시아지역학적 정치학이 아시아를 상당히 독창적으로 바라보고 있다는 점도 고루 살펴볼 수 있었다.

V. 연구회의 아시아지역학적 정치학 연구 성과

본 연구회에서는 아시아지역학적 정치학과 관련된 연구를 수행했으며 이러한 개별적 연구 성과에 대해 기고한 것을 아래와 같이 추가로 첨언하고자 한다.

가) 한국 헌법의 형식적 틀과 그 유지

한국 사회를 비롯하여 국제적으로 법칙이나 규정이 세상 삼라만상의 모든 것을 구조적으로 담을 수 없음을 인식하고 관습법이나 조리에 의해 규정의 큰 틀을 이행하면서 수행하는 것이다.

이러한 것은 한국의 과거 역사를 보면 상당히 많은 사례를 볼 수 있다. 예컨대 제1공화국 당시의 부통령 유고 시 누가 그 권한을 대행하는 것에 대해서 구체적인 규정은 없다. 그러나 헌법 제52조에 대통령 권한대행에 관한 규정이 있고 국무총리 유고 시 장관이 그 권한을 대행하는 것을 보면 부통령 유고 시에는 국무총리(수석국무위원)가 그 권한을 대행하는 것으로 유추해석한 사례가 있다.

한편 우리나라의 불행한 과거이자 쿠데타에 대해서도 법리적으로 유추 해석을 한 사례를 살펴볼 수 있다. 5.16 군사 반란의 경우 국회와 내각을 해산하고 국가재건최고회의가 그 권한을 대행한 것이다. 이를 일각에서는 헌정 중단으로 보지만 사실 민주공화국 체제를 유지하고 있으며 제2공화국 헌법에서 최소한의 근거를 유추해석할 수 있으므로 헌정 중단이 아니라 제2공화국 체제 내에서 계엄령이 발동된 군정 상태로 봐야 한다.

국가재건최고회의의 성립은 헌법 제64조에 따른 계엄 상태이고 당시 구정치인의 정상적인 정치 활동이 불가능한 상황에서 국회와 내각이 해산되고 이를 국가재건최고회의가 대행한 것이다. 또한 당시 헌법에 하원 해산 조항이 있었으므로 국회 해산은 국민의 관념적으로 가능한 행위이므로 무조건적인 초법적 행위는 아니다.

또한 이러한 과정을 당시 대통령이 승인했고 당시 군정이 제2공화국의 의원내각제를 존중하여 대통령제가 아닌 군정 내각을 구성했으므로 제2공화국 체제 자체를 파괴한 것은 아니며 공화국 내 집권 세력의 교체에 불과하다.

그리고 제3공화국 헌법 개정 당시에 구 헌법에서는 국민투표 조항이 없었음에도 국회를 대행하는 국가재건최고회의 의결 이후 국민투표를 통해 개정했다는 것은 국민의 지지와 정당성을 확보한 것이므로 사후 정당화 적 요소도 있다. 고로 제3공화국 개헌은 헌법의 제정이라고 보는 것은 틀린 학설이며 제2공화국에서 제3공화국으로 자연스럽게 헌법적 체통을 유지하면서 넘어간 것이다.

고로 5.16 군사 반란은 그 자체로 군사 반란은 맞지만 제2공화국 체제를 파괴한 것이 아니라 최소한의 헌법적 합법성의 테두리를 유지하려고 했다는 점을 살펴보아야 한다.

다음으로 10월 유신의 경우 친위 쿠데타라고 보는 것이 합리적이다. 다만 그 당시 변화된 조치는 국회를 해산하고 비상국무회의가 이를 대행한 것이다. 즉 행정부가 입법부의 권한을 행사한 것이다.

이러한 것은 당시 헌법 제75조에 따른 계엄령의 행사이고 대중이 국회를 해산할 수 있다는 관념을 가졌으므로 충격적인 행위는 아니다. 또한 제3공화국의 틀을 유지하면서 제4공화국을 출범했으므로 헌법상 남용이지 헌법 그 자체의 파괴로 보기는 어렵다.

물론 우리 역사상의 쿠데타가 몹시 잘못된 것이고 민주주의 훼손 행위이지만 1948년 이후 헌법적 체제의 흐름을 형식적으로는 유지하고 파괴 없이 이어졌다고 법률적으로는 볼 수 있다. 물론 실질적으로는 훼손했지만, 형식상 유지했다는 점은 대한민국이라는 국가 자체가 연속적으로 헌법이라는 틀 속에서 유지되었다는 것이다.

나) 내륙 해군의 중요성

대게 현대 국가이면 군대는 육군, 해군, 공군으로 구성한다. 이러한 군대에서 육군과 공군의 경우 아무리 후진국이라도 대개 갖추고 있는 경우가 많다. 하지만 해군의 경우 내륙국 중 일부는 갖추고 있지 않는 경우가 많다.

물론 내륙국은 그 자체로 바다가 없으므로 해군이 필요 없다고 생각할 수는 있다. 하지만 아무리 내륙국이라도 호수나 강이 없는 국가는 없다. 그리고 모든 호수와 강은 바다와 연결되어 있다. 그러므로 내륙국이라도 간접적으로는 바다와 연결되어 있는 셈이다.

또한 이 과정에서 바다에서 행하는 무역을 하지 않는 내륙국은 없다. 그렇다면 이러한 바다 무역과 바다와 연결된 호수 및 강의 안전을 보장하고 비내륙국에게 해양 부문에서도 우리가 군사적 대응을 최소한으로 보여줄 수 있다는 과시를 하기 위해서라도 최소한의 내륙 해군을 창설해야 한다.

한편 현대 국가의 군대는 기본적으로 육군, 해군, 공군을 필히 갖춰야 하는 점에서 내륙 해군이 없다는 것은 사실상 해당 국가의 군대가 큰 구멍이 나 있는 안보상의 위험이 상존한다고 볼 수 있다.

고로 내륙국이라도 반드시 내륙 해군을 갖추기 위해 노력해야 하며 비내륙국의 해군사관학교에 생도를 보내어 관련 교육과 최신 트렌드를 학습하는 것에도 최선을 다해야 하며 그것이 국가의 안보를 지키는 유일한 길임을 명시해야 한다.

다) 현행 헌법상의 논쟁과 해석

한국 헌법 제36조 1항은 '혼인과 가족생활은 개인의 존엄과 양성의 평등을 기초로 성립되고 유지하여야 하며, 국가는 이를 보장한다.'라고 명시되어 있다.

이 조항에서 '양성'의 의미에 대해 다양한 견해가 있다.

그러나 이는 남성과 여성으로 해석하는 것이 아니라 기본적으로 현대 사회에서 결혼은 중혼이 금지되어 있고 두 사람 간의 성적 결합을 의미하는 점에서 두 사람으로 해석해야 하는 것이다.

고로 헌법상 명문화된 동성혼 금지 조항은 없으나 관습적 혹은 사회적 합의와 변화에 의해 허용되는 것으로 해석하는 것이 가장 합리적이다.

라) 메소포타미아 문명의 재발견

메소포타미아 문명은 영어로 'Mesopotamian Civilization' 이라고 하며 현재 서아시아의 티그리스강과 유프라테스강 사이의 중심 지역에서 발흥한 문명이다. 메소포타미아라는 뜻 자체가 두 강 사이라는 뜻으로 아카드, 아시리아, 바빌로니아 등 수많은 왕조가 등장했고 여러 문명이 발흥했다.

현재는 이라크를 중심으로 하여 시리아, 튀르키예, 쿠웨이트, 이란이 일부 점유하고 있으며 비옥한 초승달 지대이지만 여러 내전과 전쟁으로 인해 현재는 상당히 어렵다.

우리가 이 메소포타미아 문명을 통해 살펴볼 수 있는 것은 이 문명이 이집트나 인도 인더스, 중국 황허와 다르게 하나의 국가로 이어지지 못한 것은 상당히 개방적인 지형이며 자연 장벽이 없어 외침에 용이한 것임을 먼저 봐야 한다.

또한 이들이 현세적인 사고관을 가진 것도 그러하다. 고로 우리는 외침에 용이한 환경이 낳는 부정적인 면을 봐야 하며 이를 대응하기 위해 어떠한 방비책을 마련할지에 대해서도 살펴보아야 하는 교훈도 볼 수 있다.

마) 역사적 명칭 연구

역사는 기본적으로 오래된 정치의 총체로 사실상 정치학과 일맥상통한다. 이러한 역사에서 명칭은 상당히 중요하며 이를 분석해 보는 것도 의미가 깊다.

우리가 흔히 사대문과 보신각에 인의예지신을 따서 붙인 것은 잘 알고 있다. 다만 숙정문은 그 명칭이 숙지문이 아니라는 것이 의아함을 가지는 사람들이 많다. 기본적으로 숙정문에서 정(靖)은 편안하다는 의미이다. 그러므로 지(智)의 의미를 살펴보면 슬기와 지혜를 의미한다. 기본적으로 편안함 속에서 슬기와 지혜가 피어나고 편안과 슬기 및 지혜를 같은 것으로 보므로 정이라는 글자를 지와 같게 사용해도 되는 것이다. 즉 의미를 직접 전달하는 것이 아니라 속에 내포하는 고도의 뜻이 있으므로 상당하다고 할 수 있다.

또한 사소문을 살펴보면 서쪽에 있는 소의문과 창의문 모두 서대문인 돈의문의 의(義)를 따서 지은 것임을 알 수 있다. 이는 조선이 의를 중요시하는 국가이기 때문이다. 반대로 동쪽에 있는 동대문인 흥인지문은 조선이 의만큼 중시하는 인(仁)을 따서 지었다. 그러면 동쪽에 있는 소문인 혜화문과 광희문은 인이 들어가 있지 않아 의아함이 있다.

하지만 광희문의 희(熙)는 빛나다는 의미로 기본적으로 어짊은 빛이 나는 것이므로 인과 같은 의미로 볼 수 있으며 혜화문의 화(化)는 변화를 의미하는데 이는 어짊은 기본적으로 인간을 변화함에 있는 것이므로 역시 같은 의미라고 볼 수 있기에 희와 화는 인으로 대체하여 쓸 수 있다. 고로 이 것도 고도의 의미를 숨긴 것이다.

한편 현대 지명을 살펴보면 성동구(城東區)의 경우 한양도성 동쪽에 있다는 의미로 최초에는 지어졌지만, 그 한자를 풀이하면 단순히 성 동쪽에 있다로 의미를 해석하는 것은 너무나 단편적인 것이며 '해가 떠오르는 고을'이라는 속 의미로 해석해야 한다.

또한 성북구(城北區)의 경우 '성 북쪽에 있다'로 해석하는 것은 단편적이며 기본적으로 북쪽은 물과 겨울을 의미한다. 이 두 가지는 정화의 의미를 전통적으로 내포하므로 '맑고 깨끗한 고을'이라고 해석해야 한다.

이외에도 경기도의 지명을 살펴보면 성남시(城南市)는 '남

한산성 남쪽에 있다'는 의미로 해석하는 것은 단편적이며 남쪽은 푸르름을 상징하므로 '푸른 고을'이라고 해석해야 깊게 제대로 해석한 것이다.

그리고 남양주시(南楊州市)의 경우 '양주의 남부'라고 해석하는 것은 단편적이며 '푸른 갯버들이 모이는 곳'이라고 해석해야 올바르다.

제 5 부

삶과철학중국어강독

Chinese Reading of Life and Philosophy

Ⅰ. 머리말

아시아지역학을 공부하면서 다양한 아시아 국가들에 대해 균형 있는 자세로 학습하지만, 상대적으로 서구에 비해 차별점을 많이 느낄 수 있는 나라로 중국이 있다.

중국은 그 국가 특성상 상당한 규모로 자체적인 세계관이 풍부하므로 아시아지역학을 연구하는 학자 관점에서 상당한 구미가 당기는 나라이므로 그 관련 연구가 가장 활발하다고 할 수 있다.

이러한 점에서 과거 역사를 살펴보면 중국은 상당히 높은 수준의 생산운영관리 기법을 가지고 있다. 특히 이러한 점은 산업혁명 이후 유럽의 생산품을 수입하지 않을 정도로 중국의 자체 생산품이 뛰어나서 아편전쟁을 이르게 한 역사적 사례가 있다.

그러한 점에서 중국은 상당히 경영학적으로 연구 대상이

다. 특히 중국의 역사는 바이오헬스인문학적 측면이 상당하다고 할 수 있으며 문화예술의 감각 활용도 몹시 뛰어나다.

한편 이러한 중국을 이끌었던 위대한 지도자와 그들의 선택에 대해서도 알아보는 것도 경영학적으로 중요하다. 그러므로 중국 고전 명문을 통해 중국인의 삶과 철학을 알아보면서 그 속에 담겨 있는 삶의 길과 지혜를 이해하여 자아를 발견하고 인생의 계획을 세워 삶 속에서 실천할 수 있도록 하는 방안을 찾아보는 것도 아주 중요하다.

또한 이러한 것에 있어 중국어 원어로 학습하는 것이 중요하며 중국어 문법에 대해서도 그 독특한 특유성이 있어 아시아지역학적으로 몹시 중요하다.

그러므로 중국 생산운영관리의 과학적이고 이론적인 사례를 중국어로 익히며 경영관리 체계의 주요 기능 영역으로서의 생산 시스템에 대한 효과적인 관리 방안을 살펴보고 전략적 경쟁 능력의 향상을 위한 생산 관리적 측면의 여러 접근 방법들을 살피고 기술혁신에 따른 생산 시스템의 변화 방향에 대해서 살펴보고 생산운영관리자의 기능과 역할에 초점을 맞추어 구체적인 관리체계와 기법들을 학습한다면 아시아지역학의 한 단계 높은 이해에도 도움이 될 것이다.

Ⅱ. 삶의철학중국어강독과 생산운영관리

　삶의철학중국어강독은 일반적으로 배우는 생산운영관리를 중국의 사례를 통해 깊고 자세하게 다루면서도 아시아지역학적 특수성을 함께 규명하는 형태이다.

　한편 이러한 생산운영관리는 기본적으로 서비스경영에 입각하므로 서비스경영에 대한 확고한 인식이 없으면 불가능한 것이다. 고로 중국의 서비스경영에 대해서도 생산운영관리에 녹여서 원어로 살펴볼 필요가 있다.

　그 학문에 있어 하위 과목으로 보건의료법규, 한의학개론, 국사, 국민윤리 등이 있다.

　한편 그러한 하위 과목에 대해서 관련 사항과 서비스경영에 입각한 생산운영관리를 비롯한 이론적인 구체적 배경에 대해 아래에 자세히 기술하고자 한다.

Ⅲ. 삶의철학중국어강독의 하위 과목

　가) 보건의료법규

　영어로 'Health & Medical Law'라고 한다. 생산운영관리에서 기본적으로 고객의 필요성에 대해 응하는 것이다. 아시아의 경우 모든 산업 중에서 의료 산업이 성장하고 있다. 의료 산업은 그 특성상 진입하려는 이는 적고 수요가 상당하여 많은 수익이 나는 산업이다.

아시아경영에서 의료 산업은 중요한 경제적 이슈이므로 이를 살펴야 한다. 그러나 의료 산업은 그 특성상 관련 법규에 대해 이해해야지만 접근하여 깊게 관찰할 수 있는 독특한 특징이 있다.

그러므로 보건의료법규에 대한 학습이 필요하다. 보건의료법규는 의료 관련 각종 자격과 기준, 의료시설과 기사 관련, 업무 관련, 기록, 보험 등 의료 전반에 걸친 원리와 원칙을 말하므로 이를 모두 살펴야 한다.

또한 이를 바탕으로 법 적용 사례 및 법적 문제에 적절히 대처하기 위한 기본소양과 의료 관련 법규의 국가별 현황을 파악하여 관련 이해도 높일 수 있다. 이러한 것은 중국의 과거와 관련하여 살펴보면 더욱 명확한 분석이 가능할 것으로도 전망된다.

나) 한의학개론

영어로 'Introduction to Oriental Medicine'이라고 한다.

중국의 중의학과 한의학은 아시아를 비롯한 세계 의료시장에서 새롭게 뜨는 의학 기법이다. 특히 아시아의 고유한 학술을 담았다는 점에서 상호 비교하며 공통점과 차이점을 분석해본다면 의학에서의 아시아 특수성을 규명할 수 있는 하나의 좋은 사례이다.

이러한 한의학의 전반적인 체계와 원리를 이해하고, 음양 및 오행에 입각한 한의학 고유의 진단법과 치료법 등의 개론을 살펴볼 필요가 있다.

또한 이를 깊게 이해하기 위해 한의학의 개요, 음양오행학설, 정신기혈론, 경락학설, 장부학설, 질병과 병인, 사진(四診)을 학습하며 나아가 한의학이 비과학적이라는 편견과 오해를 덜고 인체와 질병에 대한 한의학적 관점의 배양과 한의학에 대한 전반적인 체계와 원리도 깊게 살펴야 한다.

한의학을 개론적 측면에서 살펴본다면 아시아 경영에서의 서비스경영이 차지하는 부문에서 의료 산업의 구체적 사례와 한의학이 가지는 아시아지역학적 학문 특수성도 두루 살펴볼 수 있다.

또한 이외에도 중의학과 다른 한의학의 부문을 비교하면서 중국의 특수성을 보고 서비스경영과 생산운영관리에 대해서도 깊게 이해할 수 있다.

다) 국사

영어로 'Korean History'라고 한다. 중국에 대해서 이해하려면 먼저 한국의 역사와 그 속의 근원을 파악해야지만 실질적으로 중국이 한국과 다른 점을 통해 생산운영관리의 올바른 사례와 차이점을 관찰할 수 있다.

그러한 점에서 국사를 학습할 필요가 깊이 요구되나 이는 철저히 경영학적 관점에서 살펴보아야지 과도하게 역사적 관점에서 살피면 학술적 애로 사항이 필연적으로 생긴다.

고로 서비스경영을 하나에 두고 경영학적 이해를 통해 국사에서 관련 사례를 찾고 한국이 특유한 서비스경영을 내놓을 수 있는 역사적 근원을 모색해야 한다.

이렇게 하여 한국의 사례를 통해 중국의 사례와 비교 및 분석하여 관련 특유성을 규명할 수도 있을 것이다. 또한 이러한 학문적 특수성을 보면서 중국의 서비스경영과 생산운영관리에 대해서도 깊게 이해할 수 있다.

라) 국민윤리

영어로 'National Ethics'라고 한다. 기본적으로 국민윤리는 한 국가의 고유한 가치이자 철학으로 이를 이해하면 국가의 정신적 총체를 파악할 수 있으므로 아시아경영을 알고 자 하면 반드시 알아야 한다. 또한 이러한 국민윤리를 통해 개별 아시아 국가의 서비스 경영 양식과 방향에 대해서도 이해와 습득을 할 수 있다.

그러므로 국민윤리를 학습하고자 하면 현대 및 전통사회의 가치관에 대한 이해를 바탕으로 개개인의 가치관과 윤리 의 식을 확립하고 사회구성원으로서의 책임감을 습득하며 현실 상황을 도덕적, 윤리적 상황으로 이해하고 올바른 윤리 의식 을 함양하는 동시에 중국의 사례를 보면서 현대사회에 필요 한 윤리와 도덕성을 정립하는 방안도 모색해야 한다.

한편 아시아 전통사상 가운데 가치 있는 이론들을 모색하 고 우리의 다양한 삶의 방식에 대해 이해하여 아시아의 정 신적 가치에 대한 올바른 이해를 통해서 아시아 서비스경영 의 정신적 차원까지 살펴보는 좋은 밑거름이 될 수 있다. 또 한 이러한 학문적 특수성을 보고 서비스경영과 생산운영관 리에 대해서도 올바르게 이해할 수 있을 것이다.

IV. 결론

삶의철학중국어강독에서 중국이라는 사례를 통해 서비스경

영적 생산운영관리를 살펴보고 이러한 경영학적 토대를 성
찰하면서 많은 학술적 영향 위에 있다고 할 수 있다는 것도
깊게 알 수 있다.

그러한 발견 속에서 다양한 하위 과목의 연관성을 살펴보
면서 학술적으로 풍부하면서도 아시아를 상당히 다양하고
독창적으로 바라보고 있다는 점도 고루 살펴볼 수 있으므로
상당한 실험적 시도라고 할 수 있다.

제 6 부

중국어권문화

Topics in Chinese Culture

I. 머리말

아시아지역학을 공부하면서 기성적 서방의 관점과 다른 새로운 학술적 성과를 아시아가 거둔 것을 우리는 알 수 있다. 예컨대 몽골이 무력에 의한 국가가 아니라 상당한 정치학적 수준을 갖추고 있는 나라이며 이러한 것이 몽골학에도 깊게 반영되어 정치학과 의외의 연관성이 높은 점이나 우리가 연구하는 아시아지역학과 정치학의 깊은 연관성도 밝혀낸 사실이다.

이외에도 아시아는 새로운 혁신을 시도하고 있다. 예컨대 전 국회 보건복지위원장인 정춘숙 의원은 '초저출산 해법은 성평등부터'라고 주장했는데 이러한 것은 서구가 하지 못한 것으로 볼 수도 있다.

이외에도 본 저서처럼 아시아지역학은 특정 국가의 사례로 학습하는 것이 좋은 것을 밝혀낸 것도 아시아의 새로운 혁신이라고 할 수 있다.

한편 이러한 점에서 아시아지역학을 선도하는 국가 중 하나인 중국은 역사적으로 마케팅의 훌륭한 표본이라고 할 수 있는 국가이다. 그리고 현재 동남아시아의 선도 국가이자 가장 영향력이 강력한 베트남도 중국의 사례를 충실히 참고하고 있다.

또한 심지어 과거에 이미 멸망한 남베트남(베트남 공화국)의 후신 단체들도 중국에 대해 깊게 참고할 만큼 중국적 마케팅이 세계적으로 미치는 영향력은 상당히 강하다.

기본적으로 마케팅은 인간의 욕구를 충족시킬 목적으로 기업과 소비자 간의 이루어지는 시장에서의 교환 활동을 뜻한다. 이를 경영학적 입장에서 보면 다양한 경쟁 속에서 생존과 성장목적을 달성하기 위하여 전략을 기획하고 실행하는 관리과정 전체를 말한다.

이러한 마케팅은 몹시 중요하며 논리적 사고를 갖추고 합리적인 해결방안을 모색하여 소비자의 신뢰를 증가하는 것에도 마케팅이 큰 힘이 된다.

그러한 점에서 중국의 역사 속에서 인류의 다양한 마케팅 기법이 녹여진 다양한 사례를 살펴볼 수 있으며 이러한 점에서 중국의 문화적 원론과 마케팅과 관련된 소산을 깊게 평론해야 한다.

또한 보라색은 신비의 색상으로 이미지 컬러로 사용하면 젊은 감각과 고급스러움을 강조할 수 있는 데 이를 역사 속에서 중국 사람들이 최초로 발견하고 사용했다는 일각의 학술적 주장도 있다.

이외에도 중국어권인 세계 속의 화교를 살펴보면서 그들이 어떻게 살아남아 번영을 구가하는 것들에도 숨겨진 마케팅의 모습도 두루 살펴보면 아시아지역학 연구에 큰 도움이 될 수 있다고 할 수 있다.

II. 중국어권문화와 마케팅

중국어권문화는 일반적으로 배우는 마케팅원론을 중국의 사례를 통해 깊고 자세하게 다루면서도 아시아지역학적 특수성을 함께 규명하는 형태이다.

그 학문에 있어 하위 과목으로 광고학, 소자본창업경영, 관광마케팅 등이 있다. 한편 그러한 하위 과목에 대해서 관련 사항과 이론적인 구체적 배경에 대해 아래에서 관련 내용을 자세하게 기술하고자 한다.

III. 중국어권문화의 하위 과목

가) 광고학

영어로 'Theory of Advertising'이라고 한다. 기본적으로 광고는 대중을 대상으로 한 특정한 알림으로 구체적인 타켓층의 차이는 있으나 어찌 되었든 불특정 다수를 대상으로 구체적인 의미 전달을 하고자 하는 특징이 있다. 이는 커뮤니케이션에서 가장 다수에게 일방적으로 하는 사례이다.

이러한 점에서 광고는 효율적으로 잘 만든다면 짧은 시간에 다수에게 효과적으로 의미를 전달하고 각인할 수 있다는 점에서 심도 있는 기술이라고 할 수 있다.

특히 아시아는 세계적으로 후발 국가가 많아 인지도가 부족하므로 광고에 대한 깊은 이해와 사용을 절실히 필요로 하며 이미 중국을 비롯한 일부 국가는 국가 브랜드 광고를 만들어서 전파하고 있다.

이런 측면에서 현대의 아시아 광고 산업의 현황을 다채롭게 비교 및 고찰하며 관련 이론적, 실무적 지식을 두루 섭렵하고 광고와 관련된 주체들도 파악할 필요성이 각지에서 깊이 제기된다.

나) 소자본창업경영

영어로 'Opening & Management of Small Market'이라고 한다. 중국을 비롯한 아시아 대부분 국가에서 경제의 다수 비율을 차지하는 것은 소규모 자영업자이다. 이러한 자영업은 경제의 뿌리가 되면서 사회의 많은 영향을 미친다. 이들에 대해 경영학적으로 이해하고 특유의 선전 기법을 호객이라고 단정 지을 것이 아니라 문화적 방식의 하나로 이해해야 할 필요가 있다.

아시아지역학에서 아시아는 단순한 인식의 대상이 아니라 능동적인 주체이므로 사회의 큰 비율을 차지하는 이러한 계층에 대해 이해하지 못하고 단편적으로 넘어간다면 학문의 존재 의의를 훼손하는 것과 같다.

그러므로 소규모 창업 및 경영에서 반드시 알아야 할 실무 전반과 경영 전략을 알아보며 관련된 정치적, 경제적 여건도 파악하고 중국을 비롯하여 아시아의 국가별 개별 법률에 대해서도 이해해야 한다.

이외에도 프랜차이드와 같은 국가별 특유한 점과 고용 관계 및 고객 서비스에서 외부 환경이 미치는 영향을 본다면 사회의 큰 영향을 주는 소규모 자영업자 계층을 이해하고 이를 아시아 전반의 경영학적 이해로 넓힐 수 있을 것이다.

다) 관광마케팅

영어로 'Tourism Marketing'이라고 한다. 중국을 비롯하여 아시아 국가들의 전반적인 관광 산업이 성장하면서 각국은 관광 산업 발전에 무수한 자금을 투자하고 있다. 이는 아시아에 대한 서방의 편견을 거두고 새로운 관심을 일으켜서 아시아 관광의 붐을 발생시키는 것의 연장이기도 하다.

아시아의 관광은 그 특유한 가치와 사회적 질서 속에서 꽃피운 문화적 자산을 보여준다. 그러나 그 자산이 아무리 훌륭해도 대중이 알지 못하면 관광으로 이어질 수 없다.

이에 따라 아시아 지역은 관광마케팅이라는 새로운 개념을 접목하여 관광을 유도하기 위해 노력하고 있다. 이는 아시아 전역의 관심사이다. 이에 따라 관련된 관광마케팅의 중요성이 크게 부각되고 있는 현 시점에서 관광 상품의 특성을 적용한 서비스 측면의 마케팅 개념을 살필 필요가 있다.

특히 관광 산업의 고객 지향적 경영을 위한 관광마케팅 기초 이론, 시대 변화에 따른 관광 상품에 대한 고객의 다양한 욕구와 추구하는 편익을 파악하기 위한 전략 수립에 대해서도 살핀다면 중국을 비롯하여 다양한 아시아 국가들의 관광 시장과 관련된 것에 대해서도 이해할 수 있을 것이다.

IV. 결론

중국어권문화에서는 중국이라는 사례를 통해 마케팅원론을 살펴보고 이러한 경영학적 토대를 성찰하면서 많은 학술적 영향 위에 있다고 할 수 있다는 것도 깊게 알 수 있다.

그러한 발견 속에서 다양한 하위 과목의 연관성을 살펴보면서 학술적으로 풍부하면서도 아시아를 상당히 다양하고 독창적으로 바라보고 있다는 점도 고루 살펴볼 수 있으므로 상당한 실험적 시도라고 할 수 있다.

제 7 부

중국통상및시사 &

중국문명사와전통문화

Topics in Chinese Trade and Current Affairs &
Chinese Civilization History and Traditional Culture

I. 머리말

아시아지역학을 통해서 우리는 새로운 세계에 대한 독립적 안목을 키우고 더 나은 가치와 창조에 대해서 이해하고 널리 나아갈 수 있다.

김영삼 정부의 실세이자 2인자이고 총재급 위상을 가진 민주자유당 대표위원을 역임하였던 김종필 전 대표는 '최고의 선은 물과 같다'는 말을 좌우명으로 사용했다. 이는 노자의 도덕경에 나오는 말이다.

이처럼 물은 어디에나 있지만 반드시 필요하며 자연스럽게 행하는 것이므로 선도 물과 같이 해야 한다는 것이다. 우리 아시아지역학도 아시아의 고유성을 찾아내지만 그것을 대놓고 드러내지 않는 점에서 물과 비슷하다고 할 수 있다.

한편 근래에 몽골에 대한 한국인의 관심이 올라가고 있다. 몽골은 우리와 친숙한 국가로 터키와도 깊은 역사적 및 문화적 관계를 맺고 있는 국가이다.

이러한 몽골(외몽골) 이외에도 중국 내몽골자치구(이하 '내몽골')의 역사성도 몽골에 대한 관심 증대와 함께 증가하고 있다. 특히 내몽골은 우리 한민족의 역사적 무대였기도 하므로 한국인의 깊은 관심과 적극적인 내몽골인에 대한 지원이 한국에도 좋은 영향을 줄 수 있다는 것도 근래에 선한 영향력에 대해 관심이 있는 학자들에 의해서 제기된다.

이외에도 이탈리아와 스페인이 역사적으로 깊은 관계가 있고 스페인어가 상당히 이탈리아어와 비슷한 부분이 많다는 것도 아시아 학자들이 유럽 학자와 달리 중립적으로 보았기에 발견할 수 있는 사실이다. 한편 과거 한반도의 국가를 연세 혹은 Yonsei라고 불렀다는 사실이나 한자 '萬'이 서쪽이라는 의미로도 사용될 수 있다는 점, 자유당과 민주공화당이 정치적 실체로 하나로 이어지는 정당이라는 것을 규명한 것은 아시아지역학을 연구하는 학자들이 밝혀낸 귀중한 연구 성과이다.

이러한 것은 기성적 서방의 관점과 다른 새로운 학술적 성과를 아시아가 거둔 것이며 장대한 성과임을 우리 모두가 다시 한 번 성찰할 수 있는 셈이다.

한편 이러한 아시아지역학을 다시 살펴보면 경영학을 기반으로 한 것을 우리는 쉽게 알 수 있다. 경영학에서 재무관리는 가장 중요한 핵심이다. 재무가 없으면 경영이 될 수 없기 때문이다.

돈의 시간가치, 기본적인 자산평가, 기업의 재무전략, 위험과 수익률의 결정, 기업의 자본조달결정 등을 포함하는 재무관리의 기본적 이해를 토대로 투자론, 기업재무이론, 파생상품론 등을 심화적으로 알면서 기본적인 수학·통계 도구에 대한 이해를 바탕으로 실무에서의 올바른 재무관리를 행해야 하는 것이다.

이 과정에서 아시아지역학은 그 특성상 중국이라는 대상을 통해 살펴볼 수 밖에 없다. 다만 재무관리는 그 중요성이 상당하므로 현대 중국을 다루는 '중국통상및시사'와 과거 중국을 다루는 '중국문명사와전통문화'를 통해 보고 미래의 중국도 계획해야 한다.

한편 이러한 학습 속에서 아시아지역학 특성에 맞는 재무관리를 이해하고 이를 다시 아시아지역학 연구와 학습 확장에 이바지해야 한다.

II. 재무관리와 중국

일반적으로 배우는 재무관리를 중국의 현재와 과거의 사례를 통해 깊고 자세하게 다루면서도 아시아지역학적 특수성을 함께 규명하는 형태이다.

그 학문에 있어 하위 과목으로 사회학개론, 나를 바꾸는 글쓰기, 세상을 바꾸는 글쓰기 등이 있다. 한편 그러한 하위 과목에 대해서 관련 사항과 이론적인 구체적 배경에 대해 아래에서 관련 내용을 자세하게 기술하고자 한다.

III. 중국통상및시사 & 중국문명사와전통문화 하위 과목

가) 사회학개론

영어로 'Introduction to Sociology'라고 한다. 중국의 재무관리를 올바르게 바라보려면 그 사회 공동체의 특수성을 먼저 파악해야 한다. 이를 위해서는 반드시 사회학개론에 대한 선행적 학습과 이해가 필요하다.

사회학개론은 근대의 정신적, 경제적, 정치적 기본원리에 대해 살펴봄으로써 근대성의 기본적 구조를 개괄하는 학문으로 대중문화, 문화적 다양성, 세계화, 민주주의, 기술과 윤리 등의 주제를 세부적으로 검토함으로써 오늘날의 사회에 놓여 있는 제반 사회학적 쟁점들을 파악하고 이에 대해 어떤 시각을 가져야 하는지 검토하고 고민할 수 있는 시각을 제공한다.

이를 통해 사회의 문제의식, 기본개념, 기본관점을 이해할 수 있고 현대사회 속에서 중국의 다양한 부분들이 어떻게 이뤄지는지를 이해할 수 있다.

또한 아시아 사회의 기본원리를 파악할 수 있는 능력을 배양하고, 현대사회에서 발생하는 다양한 주제와 쟁점들을 개괄적으로 파악하고 경영학적 관점에서 아시아를 자유롭게 사유할 수 있는 초석을 마련해주며 재무관리에 대한 이해도를 높이는 밑거름이 된다.

나) 나를 바꾸는 글쓰기

영어로 'Korean Composition'이라고 한다. 발전은 곧 변화를 뜻한다. 옛날부터 오늘에 이르기까지 인간에게 발전이 필요했던 이유는 분명하다. 인간은 더 나은 가치를 추구하는 존재이기 때문이다.

하지만 발전을 추구하는 인간의 능력과 수명에는 한계가 존재한다. 그 한계는 반드시 극복되어야 하는데 인간은 그것을 글쓰기로 극복했다.

지식을 전달하는 글쓰기는 종이의 발명으로 새로운 장거리

혹은 초시대적 의사소통의 수단으로 확대되었다. 경영경제이 해력을 얻기 위해서 우리는 다른 이가 쓴 지식의 글을 읽었고 그것을 바탕으로 타인과의 경영적 소통 수단도 글을 선택한 경우가 많다.

지금 우리가 살고 있는 디지털 시대는 그 어느 때보다 글쓰기의 중요성이 강조되고 있다. 미디어 매체가 발전하면서 문자 매체가 축소되지만 결국은 문자 매체는 모든 매체의 기본적 대본이므로 그것은 뿌리로 작용한다. 고로 글쓰기의 중요성은 오히려 디지털 시대가 되면서 매체가 늘어나므로 더욱 커진다고 할 수 있다.

그러므로 먼저 글쓰기는 나를 바꿔야 한다. 이 책의 독자는 대부분 한국인이므로 먼저 한국어로 쓰는 경영적 글쓰기를 해야 한다. 그것이 재무관리 이해의 최소한의 밑바탕으로 기술적 작용을 하기 때문이다.

나를 바꾸는 글쓰기는 내가 가진 요소와 속한 공동체를 먼저 이해하면서 가장 편한 모어로 편하게 나를 표현하면서도 기존의 자신을 바꾸고 한 단계 높이는 경영적 글쓰기 방법이다. 그것은 단순한 글쓰기로 보이지만 결국은 경영이해력을 발전시키는 창조적인 경영학적 방법이기도 하다.

이를 통해서 중국의 재무관리를 살펴보면서 모어로 이를 풀어나가어 체화를 통해 입체적인 학습과 재무관리에 대한 이해를 높이는 것에도 도움이 된다.

다) 세상을 바꾸는 글쓰기

영어로 'Writing'이라고 한다. 재무관리 이해를 위해 경영적 글쓰기의 기초를 닦았다면 그것을 개인의 것으로 오롯이 가지고 있는 것이 아니라 타인과의 소통 수단으로 사용해야 한다. 말은 순식간에 사라지지만 글을 평생 남기도 하고 심지어 시대를 뛰어넘어 소통할 수 있는 숨겨진 힘을 가지고 있으므로 그 힘을 가지고 세상에 나서야 한다.

경영학을 공부하고 아시아지역학도 공부한다면 누구보다 다양한 글쓰기와 새로운 경영적 상황에 맞춘 글쓰기 능력을 가지고 있어야 한다. 특히 아시아지역학은 이제 만들어지는 학문이므로 스스로 사용자가 아닌 개발자적 입장과 결심도 동시에 가지고 있어야 하니 더욱 수준 높은 글쓰기 능력을 요한다.

단순한 펜을 굴리는 것이 아니라 그 펜을 통해서 아시아라는 거대한 대륙을 움직이고 그 세상을 바꿀 수 있으며 그 기저에는 경영경제이해력을 깔면서도 문자를 두드리려면 선혈보다 진한 잉크의 힘을 가져야 한다.

나의 성찰이 나를 둘러싼 세계를 발견하고 더 나아가 세상을 재해석하는 것을 목표로 하면서 타인을 자발적으로 추종하거나 지지하게 해야 한다. 고결한 인간은 되지 못하더라도 추한 인간은 되지 않으면서 칼보다 강한 펜의 힘을 실천해야 한다.

또한 세상을 바꿀 수 있는 경영적 글쓰기는 편견에서 벗어나야 한다. 예컨대 우리 사회의 기성적 악습인 사농공상적 관념에서 벗어나서 기술에 대한 가치와 기술자에 대한 존중의 사고를 가지며 글을 쓰는 것도 그 사례로 하나 들 수 있을 것이다.

이렇듯 경영적 글쓰기와 그것을 아시아지역학에 적용하는 것은 몹시 힘들다. 하지만 경영이해력 기반 위에서 이를 실천하는 도구로 글쓰기를 이어나간다면 그것은 단순한 개인의 글이 아니라 세상을 바꾸는 글로 나아갈 것이며 재무관리의 올바른 이해의 길로 갈 수 있을 것이다.

Ⅳ. 보론

중국문명사와전통문화는 주로 용인시 관내 대학에서 깊이 가르치고 관심을 가지는 것으로 국내에서 알려져 있다. 또한 무역학과를 중심으로 경영학 관련 학과의 수업에서 과목으로도 많이 개설되고 있고 관런 도서는 경영학(무역학 등) 교재로 사용 가능하다. 이는 근래에 아시아지역학이 무역학과 관계가 몹시 증진된 것과도 관련이 깊다.

이 외에 중국 문명사와 전통문화를 연구하는 학자들이 발견한 사항을 열거하자면 원저성을 영연방 왕국의 관점으로 보면 미국의 워싱턴 D.C.와 유사한 기능을 하며 한-영 FTA를 넘어 한-영연방 왕국 FTA의 중요성이 필요한 것도 알게 되었다. 또한 영국군의 한반도 평화에 함께 하도록 요청하는 것이 한반도 안보에 도움이 되며 성서학은 평화학의 한 요소로 볼 수 있다는 것도 연구 결과로 얻게 된 것이다. 또한 영국 왕실은 유럽 왕실의 맡어른이자 수석 왕실 역할을 하며 평화학 전문가는 그 특성상 예술 전문가라고 할 수 있고 동아시아에서 국호가 두 글자면 제후국이라는 논리는 지나친 중국 중심의 논리이며 이를 한국인은 받아드려서는 안 된다는 것도 알게 되었다. 이외에도 인조 시기 몽골에서 소를 수입한 역사에 대해서 심도 있는 재조명이 필요하며 용인시와 몽골이 친하고 부천시와 미얀마가 친한 도시 외교도 재조명할 필요가 있다.

V. 결론

중국통상및시사 & 중국문명사와전통문화에서는 중국이라는 사례를 통해 재무관리를 살펴보고 이러한 경영학적 토대를 성찰하면서 많은 학술적 영향 위에 있다고 할 수 있다는 것도 깊게 알 수 있다.

그러한 발견 속에서 다양한 하위 과목의 연관성을 살펴보면서 학술적으로 풍부하면서도 아시아를 상당히 다양하고 독창적으로 바라보고 있다는 점도 고루 살펴볼 수 있으므로 상당한 실험적 시도라고 할 수 있다.

한편 한국 사회의 위기가 현 시대에 도래했다. 일반적으로 지적되는 수도권 집중화가 심화되고 확장 강남이라는 말처럼 강남생활권이 수지, 기흥으로 확대되는 외적 문제도 있지만 내부적으로 형식적 과잉 도덕주의의 문제가 발생한다.

예컨대 음주운전에 대한 비판은 사회적으로 타당하다 하지만 사건 제보를 청취하는 과정에서 부득이한 음주운전과 같은 것은 참작 여지가 있는 것이다. 또한 성범죄에서도 일방적인 비난이 아니라 전후 사정을 보고 발언의 맥락을 정확히 파악하여 비판의 여지를 정해야 하는 것임에도 그렇지 못한 경우가 잦아 극단적 선택을 하게 만드는 문제가 있다. 이처럼 이런 형식적 과잉 도덕주의는 실질적인 도덕적 사회 구현의 적이며 사실상 부도덕을 키운다는 점에서 우리 사회가 지양해야 하는 것이다. 이외에도 과거의 사농공상적 사상에 빠져서 공업과 같은 것을 비난하거나 세계적으로 투자하는 기술교육의 중요성을 간과하는 것도 사회적 문제이다.

우리 아시아지역학계 내에서도 한국 사회의 위와 같은 문제에 대해 재무관리 부문에서 배운 창조적 사고로 해결해보고자 하는 시도가 있다. 또한 편입에 있어 한국에서 다른 대학으로 편입하는 경우 그 학점은 학칙에 따라 인정해도 특정 과목을 구체적으로 인정하지는 않는다. 다만 유사한 과목에 대해서 수강하지 않아도 되도록 하는 형태로 전적 학점을 인정하는 경우가 있다. 그중에서도 원격 교육을 통한 학위 형태에서 일반 대학으로 편입하고자 하는 경우 국제적으로 일반 대학에서 학위를 취득하면 원격 교육을 통한 학위가 전자와 유사한 경우 인정하지 않는 불문율을 주의 깊게 볼 필요가 있음도 아시아지역학 관련 편입에서 요구된다.

대게 아시아지역학의 경우 경영학을 학습하던 학생이 편입하는 경우가 많다. 이는 아시아지역학이 사실상 경영학과 동일하게 보는 학계의 관행과 학술적 기반에서 그것을 찾을 수 있다. 그러므로 이러한 편입에서 문제점을 우리 학계 내부에서 좋은 가이드라인을 제시하여 학력 문제 해결에 조금이나마 기여했다고 할 수 있다.

한편 이러한 한국 사회의 여러 문제 속에서 아시아지역학을 통해 새로운 대안적 사고를 하고 경영자적 마인드를 통해 신토불이를 맹목적으로 주장하는 것이 아니라 옳은 전통 가치도 비교하여 찾아갈 수 있는 것을 알 수 있는 셈이다.

■ 본 헌법 제안안은 전국민주대학생연석회의와 함께 진행한 '한국대중문화연구 포럼' 및 '미래한국네트워크 포럼'을 통해 제안된 내용이 포함되어 있으며 전국민주대학생연석회의 산하 대중문화 관련 조직(한국대중문화연구소로 불림)과 미래 연구 조직(미래한국네트워크로 불림)의 토론안도 참고했음을 밝힘.

제7공화국 헌법 제안

전문

우리는 3·1운동으로 건립된 대한민국임시정부의 법통과 불의에 항거한 4·19혁명, 부마민주항쟁과 5·18민주화운동, 6·10민주항쟁의 민주이념을 계승하고, 법치주의와 공화주의에 기반한 자유롭고 평등한 민주사회의 실현을 기본 사명으로 삼아, 정의에 기초한 평화롭고 안전한 국가를 지향하며, 모든 사람의 존엄과 자유를 최우선으로 보호하며, 인류애와 생명 존중으로 행복한 공존을 추구하고, 세계 평화에 이바지할 것을 다짐하고, 자율과 조화를 바탕으로 사회정의와 자치·분권을 실현하고, 인간 존중을 사회생활 전반에서 실천하고, 지구생태계와 자연환경의 보호에 힘쓰며, 모든 분야에서 지속가능한 발전을 추구하고, 노동의 존엄성을 인식하며, 기회균등의 원리로 복지국가로 나아가고, 미래세 대에 대한 우리의 책임을 인식하며, 상호 연대하고 더불어사는 세상을 위해 앞으로 나갈 것을 다짐하면서 194

8년 7월 12일에 제정되고 10차에 걸쳐 개정된 헌법을 이제 국회의 의결을 거쳐 국민투표에 의하여 개정한다.

본문

제1장 총강

제1조 ① 인간의 존엄성은 소멸되거나 훼손될 수 없으며, 이를 존중하고 보호하며 인권국가를 지향하는 대한민국은 민주공화국이다.

② 대한민국은 인간의 보편적 인권을 인정하고 평화와 정의의 기초가 되는 인권을 확신하며, 인권이 모든 권력 위에 있음을 확인한다.

③ 대한민국의 모든 권력은 인권을 수호해야 하는 것을 기본적 책무로 삼는다.

④ 대한민국의 주권은 국민에게 있고, 모든 권력은 국민으로부터 나오며, 국민을 위하여 행사된다.

⑤ 대한민국은 지방분권국가이다.

⑥ 대한민국은 미래 세대에 대해 책임 있는 태도를 가져야 한다.

제2조 ① 대한민국 국민의 자녀는 출생 시에 대한민국 국적을 취득하며, 그 밖에 대한민국 국민이 되는 요건과 절차에 관하여 필요한 사항은 법률로 정한다.

② 국가는 자의적으로 국민의 국적을 박탈하거나 국외로 추방할 수 없다.

③ 국가는 법률로 정하는 바에 따라 재외국민을 보호할 의무를 지며, 구

체적인 사항은 법률로 정한다.

제3조 ① 대한민국의 영역는 한반도와 그 부속도서(附屬島嶼)를 포함하는 영토, 영해, 영공으로 한다.
② 대한민국의 수도(首都)에 관한 사항은 법률로 정한다.

제4조 대한민국은 통일을 지향하며, 민주적 기본질서에 입각한 평화적 통일 정책을 수립하고 이를 추진한다.

제5조 ① 대한민국은 국제평화를 유지하기 위하여 노력하고 침략적 전쟁을 인정하지 않는다.
② 국군은 국가의 안전보장과 국토방위의 의무를 수행하는 것을 사명으로 하며, 정치적 중립성을 준수한다.
③ 군인은 대한민국 국민으로서 일반 국민과 동일하게 헌법상 보장된 권리를 가진다.
④ 군인은 재직 중은 물론 퇴직 후에도 군인의 직무상 공정성과 청렴성을 훼손해서는 안 된다.
⑤ 군인은 부당하거나 비인도적인 명령을 거부할 의무가 있다.

제6조 ① 헌법에 따라 체결·공포된 조약과 일반적으로 승인된 국제법규는 국내법과 같은 효력을 가진다.
② 외국인의 지위는 국제법과 조약으로 정하는 바에 따라 보장된다.

제7조 ① 공무원은 국민 전체에게 봉사하며, 국민에 대하여 책임을 진다.
② 공무원의 신분은 법률로 정하는 바에 따라 보장된다.

③ 공무원은 직무를 수행할 때 정치적 중립을 지켜야 한다.

④ 공무원은 재직 중은 물론 퇴직 후에도 공무원의 직무상 공정성과 청렴성을 훼손해서는 안 된다.

제8조 ① 정당은 정치적 자유의 표현이며 국민의 의사 형성 및 표명과 정치적 참여를 위한 기본적인 수단이다. 정당의 설립·조직 및 활동은 자유이며, 복수정당제는 보장된다.

② 정당의 목적·조직과 활동은 민주적이어야 한다.

③ 정당은 법률로 정하는 바에 따라 국가의 보호를 받으며, 국가는 소수자의 보호 등 정당한 목적과 공정 한 기준으로 법률로 정하는 바에 따라 정당운영에 필요한 자금을 보조할 수 있다.

④ 내각은 정당의 목적이나 활동이 민주적 기본질서에 위반될 때에는 헌법위원회에 정당의 해산을 제소할 수 있고, 제소된 정당은 헌법위원회의 심판에 따라 해산된다.

⑤ 헌법위원회의 심판에 따라 해산되는 정당의 소속 선출직 공무원은 그 직을 상실한다.

제9조 국가는 문화의 자율성과 다양성을 증진하고, 전 통문화를 창조적으로 계승하기 위하여 노력해야 한다.

제2장 기본적 권리와 의무

제10조 ① 모든 사람은 태어날 때부터 자유롭고 동등한 존엄과 가치를 가지며, 행복을 추구할 권리를 가진다. 국가는 개인이 가지는 불가침의 기본

적 인권을 확인하고 보장할 의무를 진다.

② 모든 사람은 자유롭게 행동할 권리를 가진다.

제11조 ① 모든 사람은 법 앞에 평등하다. 누구도 성별·종교·장애·연령·인종·지역·언어·사상·재산·출생·피부색·성적지향·신체적 특성·사회적 신분·고용 형태 또는 기타의 신분을 이유로 정치적·경제적·사회적·문화적 생활을 비롯한 모든 영역에서 차별을 받아서는 안 된다.

② 국가는 실질적 평등을 실현하고, 현존하는 차별을 시정하기 위하여 적극적으로 조치한다.

③ 사회적 특수계급 제도는 인정되지 않으며, 어떠한 형태로도 창설할 수 없다.

④ 훈장을 비롯한 영전(榮典)은 받은 자에게만 효력이 있고, 어떠한 특권도 따르지 않으며 계급창설의 수단으로 사용할 수 없다.

제12조 ① 모든 사람은 생명권을 가지며, 신체와 정 신을 온전하게 유지할 권리를 가진다.

② 인간의 생명과 존엄은 최우선적으로 보장되어야 하며, 그 어떠한 것도 인간의 생명과 존엄보다 앞설 수 없다.

③ 모든 사람은 죽음을 강요받지 않는다.

④ 모든 사람은 품위 있게 죽을 권리가 있다.

⑤ 모든 사람은 노예가 될 수 없으며, 인신매매는 어떠한 경우에도 인정되지 않는다.

⑥ 모든 사람의 생명은 우열을 판단할 수 없다.

⑦ 인간복제나 비인도적인 인체실험은 할 수 없다.

⑧ 특정한 인종을 차별하거나 우대할 수 없다.

⑨ 사형제도는 어떠한 경우에도 인정되지 않는다.

제13조 ① 모든 사람은 신체의 자유를 가진다. 누구도 법률에 따르지 않고는 체포·구속·압수·수색 또는 심문을 받지 않으며, 법률과 적법한 절차에 따르지 않고는 처벌·보안처분 또는 강제노역을 받지 않는다.

② 누구나 고문이나 잔혹 행위를 당하지 않으며, 모멸적이거나 비인도적인 처우 또는 처벌을 받지 않는다.

③ 누구나 민·형사상 자기에게 불리한 진술을 강요당하지 않는다.

④ 체포·구속이나 압수·수색을 하려 할 때에는 적법한 절차에 따라 청구되고 법관이 발부한 영장을 제시해야 한다. 다만, 현행범인인 경우와 장기 5년 이상의 형에 해당하는 죄를 범하고 도피하거나 증거를 없앨 염려가 있는 경우 사후에 영장을 청구할 수 있다.

⑤ 모든 사람은 사법절차에서 변호인의 도움을 받을 권리를 가진다. 체포 또는 구속을 당한 경우에는 즉시 변호인의 도움을 받도록 하여야 한다. 국가는 형사피의자 또는 피고인이 스스로 변호인을 구할 수 없을 때에는 법률로 정하는 바에 따라 변호인을 선임하여 변호를 받도록 하여야 한다.

⑥ 체포나 구속의 이유, 변호인의 도움을 받을 권리와 자기에게 불리한 진술을 강요당하지 않을 권리가 있음을 고지받지 않고는 누구도 체포나 구속을 당하지 않는다. 체포나 구속을 당한 사람의 가족 등 법률로 정하는 사람에게는 그 이유와 일시·장소를 즉시 통지해야 한다.

⑦ 체포나 구속을 당한 사람은 법원에 그 적부(適否)의 심사를 청구할 권리를 가진다.

⑧ 고문·폭행·협박·부당한 장기간의 구속 또는 기망(欺罔), 그 밖의 방법으로 말미암아 자의(自意)로 진술하지 않은 것으로 인정되는 피고인의 자백, 또는 정식 재판에서 자기에게 불리한 유일한 증거가 되는 피고인

의 자백은 유죄의 증거로 삼을 수 없으며, 그런 자백을 이유로 처벌할 수
도 없다.

⑨ 법률이 정하는 바에 따라 형사피고인이 변호인을 선임하지 못한 경우
에는 재판할 수 없다.

제14조 ① 모든 사람은 행위 시의 법률에 따라 범죄를 구성하지 않는 행
위로 소추되지 않으며, 동일한 범죄로 거듭 처벌받지 않는다.

② 모든 사람은 소급입법(遡及立法)으로 참정권을 제한받거나 재산권을
박탈당하지 않는다.

③ 모든 사람은 자기의 행위가 아닌 친족·지인의 행위로 불이익한 처우를
받지 않는다.

④ 모든 사람은 박해를 피하여 다른 나라에 비호(庇護)를 구하거나 받을
권리를 가진다.

⑤ 누구든지 고문 또는 잔혹하고 비인도적인 처우나 형벌을 받을 우려가
있는 국가에 송환되거나 인도되지 않는다.

⑥ 누구든지 사형을 받을 우려가 있는 국가에 특별한 사유가 없는 한 송
환되거나 인도되지 않는다.

⑦ 국외에서 범죄를 저지른 사람이 제4항과 제5항에 해당한다면 해당 국
가에 송환하거나 인도하지 않고 국 내에서 처벌한다.

⑧ 국가는 국제법과 법률에 따라 난민을 보호한다.

제15조 ① 모든 사람은 거주·이전의 자유를 가진다.

② 국가는 국민이 원활히 이동하기 위해 교통수단의 편의를 증진해야 한다.

제16조 ① 모든 사람은 직업의 자유를 가진다.

② 직업의 귀천(貴賤)은 인정되지 않는다.

제17조 ① 모든 사람은 사생활의 비밀과 자유를 침해받지 않는다.
② 모든 사람은 주거의 자유를 침해받지 않는다. 주거에 대한 압수나 수색을 하려 할 때는 적법한 절차에 따라 청구되고 법관이 발부한 영장을 제시해야 한다.
③ 모든 사람은 통신의 비밀을 침해받지 않는다.

제18조 ① 모든 사람은 신앙과 양심의 자유 및 종교적·세계관적 신조의 자유를 침해되지 않는다.
② 종교 활동의 자유는 보장된다.
③ 국교는 인정되지 않으며 국가는 특정 종교를 우대할 수 없다.
④ 종교와 정치는 분리된다.
⑤ 모든 사람은 종교적 행위를 하거나 종교에 대한 교육을 받도록 강요되지 않는다.
⑥ 모든 사람은 자신의 양심에 반하여 무력을 사용하도록 강요되지 않는다. 자세한 사항은 법률로 정한다.

제19조 ① 모든 사람의 표현의 자유는 보장되며, 이 에 대한 허가나 검열은 금지된다.
② 언론·출판의 기능을 보장하기 위하여 필요한 사항은 법률로 정한다.
③ 언론·출판은 타인의 권리를 침해해서는 안 된다. 언론·출판이 타인의 권리를 침해한 경우 피해자는 이에 대한 배상·정정을 청구할 수 있다.

제20조 ① 모든 사람은 연대할 권리를 가진다.

② 집회·결사의 자유는 보장되며, 이에 대한 허가는 금지된다.

③ 누구든지 의사에 반하여 집회·결사에 참여하도록 할 수 없다.

④ 국가는 소수자의 보호 등 정당한 목적과 공정한 기준으로 법률로 정하는 바에 따라 단체 운영에 필요한 자금을 보조할 수 있다.

제21조 ① 모든 사람은 알권리 및 정보접근권을 가진다.

② 모든 사람은 자신에 관한 정보를 보호받고 그 처리에 관하여 통제할 권리를 가진다.

③ 국가는 정보의 독점과 격차로 인한 폐해를 예방하고 시정하기 위하여 노력해야 한다.

④ 모든 사람은 정보문화향유권을 가진다.

⑤ 국가는 국민이 인터넷에 접속할 수 있도록 보장하여야 한다.

제22조 ① 모든 사람은 잊혀질 권리를 가진다.

② 모든 사람은 자신의 정보에 대해 법률이 정하는 바에 따라 삭제를 요구할 수 있다.

제23조 ① 모든 사람은 학문과 예술의 자유를 가진 다.

② 대학의 자치는 보장된다.

③ 저작자, 발명가, 과학기술자와 예술가의 권리는 법률로써 보호한다.

제24조 ① 모든 사람의 재산권은 보장된다. 그 내용과 한계는 법률로 정한다.

② 재산권은 공공복리에 적합하도록 행사해야 한다.

③ 공공필요에 의한 재산권의 수용·사용 또는 제한 및 그 보상에 관한 사항은 법률로 정하되, 정당한 보상을 해야 한다.

제25조 ① 모든 국민은 선거권을 가진다. 선거권 행사의 요건과 절차 등 구체적인 사항은 법률로 정한다.

② 모든 국민은 자유롭게 선거운동을 할 수 있다. 다만, 정당후보자 간 공정한 기회를 보장하기 위하여 법률로 제한하는 경우에는 그러하지 아니하다.

③ 모든 국민은 국가에 의한 헌법적 질서의 중대한 위반 및 그 불법적 폐지에 대하여 다른 구제수단이 불가능할 때에는 이에 저항할 권리를 가진다.

제26조 모든 국민은 공무담임권을 가진다. 구체적인 사항은 법률로 정한다.

제27조 ① 모든 사람은 국가기관에 청원할 권리를 가진다. 구체적인 사항은 법률로 정한다.

② 국가는 청원을 수리하고 심사하여 그 결과를 청원인에게 통지하여야 한다.

③ 제1항의 권리를 행사했다는 이유로 어떠한 불이익도 받지 않는다.

④ 모든 사람은 공정하고 적법한 행정을 요구할 권리를 가진다.

제28조 ① 모든 사람은 헌법과 법률에 따라 법원의 재판을 받을 권리를 가진다.

② 모든 사람은 재판을 공정하고 신속하게 받을 권리를 가진다. 형사피고인은 타당한 이유가 없으면 지체 없이 공개 재판을 받을 권리를 가진다.

③ 형사피고인은 유죄 판결이 확정될 때까지는 무죄로 추정한다.

④ 국가는 형사피고인이 재판받는 과정에서 유죄로 추정되어 불이익한 처분을 받지 않도록 할 의무를 진다.

⑤ 형사피고인이 유죄 판결이 확정될 때까지 언론·출판은 유죄로 추정하

여 보도하거나 저술해서는 안된다.

⑥ 형사피해자는 법률로 정하는 바에 따라 해당 사건의 재판절차에서 진술할 수 있다.

⑦ 국가는 국민이 민사·행정·가사소송을 제기할 금전적 여력이 없으면 법률이 정하는 바에 따라 지원하여야 한다.

⑧ 모든 재판은 법률에 특별한 규정이 없는 한 3인 이상의 배심원단이 구성되어야 할 수 있다.

제29조 ① 국가는 형사피의자 또는 형사피고인으로서 구금되었던 사람이 법률이 정하는 불기소처분이나 무죄판결을 받은 경우 법률로 정하는 바에 따라 정당한 보상을 하여야 한다.

② 국가는 형사피의자 또는 형사피고인으로서 기소된 사람이 무죄판결을 받은 경우 명예를 회복하기 위해 최선을 다해야 한다.

제30조 공무원의 직무상 불법행위로 손해를 입은 국민은 법률로 정하는 바에 따라 국가 또는 공공단체에 정당한 배상을 청구할 수 있다. 이 경우 공무원 자신의 책임은 면제되지 않는다.

제31조 ① 타인의 범죄행위로 인하여 생명·신체 및 정신적 피해를 받은 국민은 법률로 정하는 바에 따라 국가로부터 구조 및 보호를 받을 권리를 가진다.

② 제1항의 법률은 피해자의 인권을 존중하도록 정하여야 한다.

제32조 ① 모든 사람은 능력과 적성에 따라 균등하게 교육을 받을 권리를 가진다.

② 모든 사람은 보호하는 자녀 또는 아동에게 적어도 초·중등교육과 법률로 정하는 교육을 받게 할 의무를 진다.

③ 의무교육은 무상으로 한다.

④ 교육의 자주성·전문성 및 정치적 중립성은 법률로 정하는 바에 따라 보장된다.

⑤ 국가는 평생교육을 진흥해야 한다.

⑥ 국가는 교육의 평등성을 지향해야 한다.

⑦ 학교교육·평생교육을 포함한 교육 제도와 그 운영, 교육재정, 교원의 지위에 관한 기본 사항은 법률로 정한다.

제33조 ① 모든 사람은 일할 권리를 가지며, 국가는 고용의 안정과 증진을 위한 정책을 시행해야 한다.

② 국가는 노동의 신성함을 존중하고 이를 보호하여야 한다.

③ 국가는 적정임금을 보장하기 위하여 노력하며, 법률이 정하는 바에 따라 노동자와 그 가족의 품위 있는 생활을 보장할 수 있는 최저임금제를 시행하며, 동일한 가치의 노동에 대하여는 동일한 임금이 지급될 수 있도록 노력한다.

④ 노동자는 정당한 이유 없는 해고로부터 보호받을 권리를 가진다.

⑤ 노동조건은 노동자와 사용자가 동등한 지위에서 자유의사에 따라 결정하되, 그 기준은 인간의 존엄성을 보장하도록 법률로 정한다.

⑥ 모든 사람은 고용·임금 및 그 밖의 노동조건에서 임신·출산·육아 등으로 부당하게 차별을 받지 않으며, 국가는 이를 위한 정책을 시행해야 한다.

⑦ 사회적 약자의 노동은 특별한 보호를 받는다.

⑧ 국가는 국가유공자·상이군경 및 전몰군경(戰歿軍警)·의사자(義死者)의 유가족이 법률로 정하는 바에 따라 노동의 기회를 부여받을 수 있도록 노

력해야 한다.

⑨ 국가는 모든 사람이 일과 생활을 균형 있게 영위할 수 있도록 정책을 실시해야 한다.

제34조 ① 노동자는 자주적인 단결권과 단체교섭권을 가진다.

② 노동자는 경제적, 사회적 지위 향상 및 노동조건의 유지·개선을 위하여 단체행동권을 가진다.

③ 노동자는 법률의 정하는 바에 의하여 기업 이익의 분배에 균점할 권리가 있다.

④ 노동자는 법률의 정하는 바에 의하여 기업 경영에 참여할 권리가 있다.

⑤ 노동자는 법률의 정하는 바에 의하여 기업에 청원 하고 정보를 제공받을 권리가 있다.

⑥ 노동조합의 설립·조직 및 활동은 자유롭고 민주적 이어야 한다.

⑦ 국가와 사용자는 노동조합을 탄압하거나 해산할 수 없으며, 운영에 개입할 수 없다.

⑧ 현역 군인과 공무원의 단결권, 단체교섭권과 단체행동권은 법률로 정하는 바에 따라 제한할 수 있다.

⑨ 현역 군인과 공무원은 누구든지 자신이 가입한 노동조합 또는 직능단체를 위한 활동을 이유로 법률이 정 하지 않은 직무상 처분을 받거나 불이익한 대우를 받지 않는다.

제35조 ① 모든 사람은 인간다운 생활을 할 권리를 가진다. 국가는 법률이 정하는 바에 따라 기본소득에 관한 시책을 강구해야 한다.

② 모든 국민은 장애·질병·노령·실업·빈곤 또는 기타 불가항력의 상황 등으로 초래되는 사회적 위험에서 벗어나 적정한 삶의 질을 유지할 수 있도

록 사회보장을 받을 권리를 가진다.

③ 모든 국민은 임신·출산·양육과 관련하여 국가의 지원을 받을 권리를 가진다.

④ 모든 국민은 쾌적하고 안정적인 주거생활을 할 권리를 가진다. 국가는 법률이 정하는 바에 따라 국민이 수긍할 수 있는 주거를 제공해야 한다.

⑤ 모든 국민은 관계 법령에서 정하는 바에 따라 사회보장수급권을 가진다.

⑥ 모든 국민은 건강하게 살 권리를 가진다. 국가는 질병을 예방하고 보건의료 제도를 개선해야 한다.

⑦ 식생활은 사람이 살아가는데 기본적인 행복으로 국가는 다양한 식생활을 존중해야 한다.

⑧ 국가는 법률에 정하지 않는다면 특정 의복 착용을 강요할 수 없다.

제36조 ① 어린이와 청소년은 독립된 인격주체로서 존중과 보호를 받을 권리가 있으며, 어린이와 청소년에 대한 모든 공적·사적 조치는 어린이와 청소년의 이익을 우선적으로 고려해야 한다.

② 어린이와 청소년은 자유롭게 의사를 표현하며, 자신에게 영향을 주는 결정에 참여할 권리를 가진다.

③ 어린이와 청소년은 차별받지 아니하며, 부모와 가족 그리고 사회공동체 및 국가의 보살핌을 받을 권리를 가진다.

④ 어린이와 청소년은 모든 형태의 학대와 방임, 폭력과 착취로부터 보호받으며 적절한 휴식과 여가를 누릴 권리를 가진다.

⑤ 노인은 존엄한 삶을 누리고 정치적·경제적·사회적·문화적 생활에 참여할 권리를 가진다.

⑥ 장애인은 존엄하고 자립적인 삶을 누리며, 모든 영역에서 동등한 기회를 얻고 참여할 권리를 가진다.

⑦ 국가는 장애를 가진 사람에게 법률에 따라 자신이 가진 능력을 최대한으로 개발하고 경제활동이 가능하도록 적극적으로 지원해야 한다.

⑧ 국가는 장애를 가진 사람들의 사회적 통합을 추구하며 사회참여를 보장하여야 한다.

⑨ 국가는 고용, 노동, 복지, 재정 등 모든 영역에서 성평등을 보장해야 한다.

제37조 ① 모든 사람은 안전할 권리를 가진다.

② 모든 사람은 안전한 사회를 만들기 위해 참여할 권리를 가진다.

③ 모든 사람은 재난을 초래한 환경과 이유를 포함한 진실에 대해 알권리를 가진다.

④ 재난으로 인해 손해를 입은 사람은 보호받을 권리 가 있으며, 국가는 법률이 정하는 바에 따라 사과와 배상을 받을 수 있도록 지원해야 한다.

⑤ 누구든지 재난으로 생명을 잃은 사람을 충분히 애도할 권리를 가지며, 손해를 입은 사람의 아픔에 동참하고 정의를 위해 행동할 권리를 가진다.

⑥ 국가와 국민은 재난 및 모든 형태의 폭력에 의한 피해를 예방하고, 그 위험으로부터 사람을 보호해야 한다.

⑦ 국가는 모든 역량을 동원하여 재난에 처한 사람을 구조하고 이들의 안전을 확보하기 위해 최선을 다해야 하며, 구조에 있어서 그 어떤 차별도 있어서는 안 된다.

⑧ 국가는 필요할 경우 법률이 정하는 바에 따라 재난이 해결되는 전 과정을 기록해야 한다.

⑨ 국가는 유사한 재난이 반복되지 않도록 노력해야 한다.

제38조 ① 모든 사람은 건강하고 쾌적한 환경에서 생활할 권리를 가진다.

구체적인 내용은 법률로 정한다.

② 국가는 모든 생명체의 소중함을 인식하고 필요한 보호 정책을 시행해야 한다.

③ 국가는 기후변화에 대처하고, 에너지의 생산과 소비의 정의를 위해 노력하여야 한다.

④ 국가는 지구생태계와 미래세대에 대한 책임을 지고, 환경을 지속가능하게 보전하여야 한다.

⑤ 모든 국민은 자연을 보호해야 할 의무가 있다.

제39조 ① 혼인과 가족생활은 개인의 존엄과 평등을 바탕으로 성립되고 유지되어야 하며, 국가는 이를 보장 한다.

② 혼인과 가족생활의 형태에 따라 차별할 수 없다.

③ 누구든지 혼인하거나 하지 않을 것을 강요받지 않는다.

④ 혼인이 가능한 연령은 법률로 정한다.

⑤ 근친혼은 인정되지 아니한다.

⑥ 중혼은 인정되지 아니한다.

⑦ 인간 이외의 대상과는 혼인할 수 없다.

⑧ 인간 이외의 대상과는 가족관계를 구성할 수 없다.

제40조 ① 자유와 권리는 헌법에 구체적으로 열거되지 않았다는 이유로 경시되지 않는다.

② 모든 자유와 권리는 국가안전보장 혹은 공공복리를 위하여 필요한 경우에만 법률로써 제한할 수 있으며, 제한하는 경우에도 자유와 권리의 본질적인 내용을 침해할 수 없다.

③ 국가안전보장 혹은 공공복리를 위하여 자유와 권리를 제한할 경우 법

률에 따라 보상해야 한다.

제41조 ① 모든 사람은 법률로 정하는 바에 따라 납세의 의무를 진다.
② 국가는 납세의 의무를 이행하는 사람이 불이익한 처우를 받지 않도록
하여야 한다.

제42조 ① 모든 국민은 법률로 정하는 바에 따라 국방의 의무를 진다.
② 국가는 국방의 의무를 이행하는 국민의 인권을 보장하기 위한 정책을
시행해야 한다.
③ 국가는 국방의 의무를 이행하는 국민에게 적정한 보상을 하여야 한다.
④ 국가는 국방의 의무를 이행하는 국민이 불이익한 처우를 받지 않도록
하여야 한다.
⑤ 누구든지 양심에 반하여 병역을 강제 받지 아니하고, 법률이 정하는
바에 의하여 대체복무를 할 수 있다.

제3장 대통령

제43조 ① 대통령은 국가를 대표한다.
② 대통령은 국가의 독립과 계속성을 유지하고, 영토를 보존하며, 헌법을
수호할 책임과 의무를 진다.

제44조 ① 대통령은 국회에서 선거한다.
② 제1항의 선거에서 유효투표 총수의 과반수를 얻은 사람을 당선자로 한다.
③ 대통령 후보자가 한 명이면 국회 재적의원 과반수의 찬성을 얻지 못하

면 대통령으로 당선될 수 없다.

④ 대통령으로 선거될 수 있는 사람은 대한민국 태생이고 국회의원의 피선거권이 있어야 한다.

⑤ 대통령 선거에 관한 사항은 법률로 정한다.

제45조 ① 대통령의 임기가 만료되는 경우 임기만료 70일 전부터 40일 전 사이에 후임자를 선거한다.

② 대통령이 궐위(闕位)된 경우 또는 당선자가 사망 하거나 판결, 그 밖의 사유로 그 자격을 상실한 경우 60일 이내에 후임자를 선거한다.

③ 결선투표는 제1항 및 제2항에 따른 첫 선거일부터 14일 이내에 실시한다.

제46조 대통령은 취임에 즈음하여 다음의 선서를 한다.

"나는 헌법을 준수하고 인권을 존중하며 국가를 지키고 국민의 자유와 복리의 증진 및 문화 융성에 노력하여 대통령으로서 맡은 직책을 성실히 수행할 것을 국민 앞에 엄숙히 선서합니다."

제47조 ① 대통령의 임기는 4년으로 한다.

② 대통령이 궐위된 경우의 후임자는 전임자의 잔임기간만 재임한다.

③ 대통령은 1차에 한하여 중임할 수 있다.

제48조 ① 대통령이 궐위되거나 질병·사고 등으로 직무를 수행할 수 없는 경우 국회의장, 국무총리, 대법원장 순으로 대행한다.

② 대통령이 사임하려고 하거나 질병·사고 등으로 직무를 수행할 수 없는 경우 대통령은 그 사정을 제1항에 따라 권한대행을 할 사람에게 서면으로

미리 통보해야 한다.

③ 제2항의 서면 통보가 없는 경우 권한대행의 개시 여부에 대한 최종적인 판단은 국무총리가 국무회의의 심의를 거쳐 헌법위원회에 신청하여 그 결정에 따른다.

④ 권한대행의 지위는 대통령이 복귀 의사를 서면으로 통보한 때에 종료된다. 다만, 복귀한 대통령의 직무 수행 가능 여부에 대한 다툼이 있을 때에는 대통령, 국회의장, 국무총리, 대법원장이 헌법위원회에 신청하여 그 결정에 따른다.

⑤ 제1항에 따라 대통령의 권한을 대행하는 사람은 그 직을 유지하는 한 대통령 선거에 입후보할 수 없다.

⑥ 대통령의 권한대행에 관하여 필요한 사항은 법률로 정한다.

제49조 대통령은 국무회의 의결에 따라 조약을 체결·비준하고, 외교사절을 신임·접수 또는 파견하며, 선전포고와 강화를 한다.

제50조 ① 대통령은 헌법과 법률로 정하는 바에 따라 내각의 조언을 통해 국군을 통수한다.

② 국군의 조직과 편성은 법률로 정한다.

제51조 ① 대통령은 내우외환, 천재지변 또는 중대한 재정, 경제상의 위기에 국가의 안전보장이나 공공의 질서를 유지하기 위하여 긴급한 조치가 필요하고 국회의 집회를 기다릴 여유가 없을 때에만 최소한으로 필요한 재정·경제상의 처분을 하거나 이에 관하여 법률의 효력을 가지는 명령을 국무회의 의결에 따라 발할 수 있다.

② 대통령은 국가의 안위에 관계되는 중대한 교전 상태에서 국가를 보위

하기 위하여 긴급한 조치가 필요함 에도 국회의 집회가 불가능한 경우에만 법률의 효력을 가지는 명령을 국무회의 의결에 따라 발할 수 있다.

③ 대통령은 제1항과 제2항의 처분이나 명령을 한 경우 지체 없이 국회에 보고하여 승인을 받아야 한다.

④ 제3항의 승인을 받지 못한 때에는 그 처분이나 명령은 즉시 효력을 상실한다. 이 경우 그 명령에 따라 개정되었거나 폐지되었던 법률은 그 명령이 승인을 받지 못한 때부터 당연히 효력을 회복한다.

⑤ 대통령은 제3항과 제4항의 사유를 지체 없이 공포해야 한다.

제52조 ① 대통령은 전시·사변 또는 이에 준하는 국가 비상사태에 병력으로써 군사상의 필요에 응하거나 공공 의 안녕질서를 유지할 필요가 있을 때에는 법률로 정하는 바와 국무회의 의결에 따라 계엄을 선포할 수 있다.

② 계엄이 선포된 경우 법률로 정하는 바에 따라 영 장제도, 언론·출판·집회·결사의 자유, 정부나 법원의 권한에 관하여 특별한 조치를 할 수 있다.

③ 계엄을 선포한 경우 대통령은 지체 없이 국회에 통고해야 한다.

④ 계엄이 선포되면 국회는 즉시 소집되며 이를 방해할 수 없다.

⑤ 국회가 재적의원 과반수의 찬성으로 계엄의 해제를 요구하면 대통령은 계엄을 해제해야 한다.

제53조 ① 대통령은 법률로 정하는 바와 국무회의 의결에 따라 사면·감형 또는 복권을 명할 수 있다.

② 사면을 명하려면 국회의 동의를 받아야 한다.

③ 사면·감형과 복권에 관한 사항은 법률로 정한다.

제54조 대통령은 헌법과 법률의 정하는 바에 따라 공무원의 임면을 확인한다.

제55조 대통령은 법률로 정하는 바와 국무회의 의결에 따라 훈장을 비롯한 영전을 수여한다.

제56조 대통령은 헌법과 법률이 정하는 바에 따라 국회에 출석하여 발언하거나 문서로 의견을 표시할 수 있다.

제57조 대통령의 국법상 행위는 문서로써 한다.

제58조 대통령은 국회의원, 법관, 그 밖에 법률로 정하는 공사(公私)의 직을 겸할 수 없다.

제59조 대통령은 내란 또는 외환의 죄를 범한 경우를 제외하고는 재직 중 형사상의 소추를 받지 않는다.

제60조 전직 대통령의 신분과 예우에 관한 사항은 법률로 정한다.

제4장 국회

제61조 입법권은 국회에 있다.

제62조 ① 국회는 국민이 보통·평등·직접·비밀선거로 선출한 국회의원으로 구성한다.
② 국회의원의 수는 법률로 정하되, 300명 이상으로 한다.

③ 국회의원의 선거구와 비례대표제, 그 밖에 선거에 관한 사항은 법률로 정한다.

제63조 ① 국회의원의 임기는 4년으로 한다. 단, 국회가 해산된 때에는 그 임기는 해산과 동시에 종료한다.

② 국무총리가 국회해산을 통보할 경우 통보일로부터 40일 후에 국회가 해산된다.

③ 제2항에 따라 선거를 할 경우 통보일로부터 30일 이내에 선거를 해야 한다.

④ 제2항에 따라 선거를 할 경우 국회의원의 임기는 해산된 국회의 잔임 기간으로 한다.

⑤ 국회의원의 임기가 100일 이내로 남아있을 경우 국회는 해산되지 않는다.

⑥ 국민은 국회의원을 소환할 수 있다. 소환의 요건과 절차 등 구체적인 사항은 법률로 정한다.

⑦ 국무총리가 국회해산을 통보한 경우 국회는 국무총리의 동의 없이 법률안을 제정하거나 개정할 수 없다.

제64조 국회의원은 법률로 정하는 직(職)을 겸할 수 없다.

제65조 ① 국회의원은 현행범인인 경우를 제외하고는 국회의 동의 없이 체포되거나 구금되지 않는다.

② 국회의원이 체포되거나 구금된 경우 국회의 요구 가 있으면 석방된다.

③ 국회의장은 재적의원 4분의 3 이상의 동의 없이 는 어떠한 경우에도 체포되거나 구금되지 않는다.

제66조 국회의원은 국회에서 직무상 발언하거나 표결한 것에 관하여 국회 밖에서 책임을 지지 않는다.

제67조 ① 국회의원은 청렴해야 할 의무를 진다.
② 국회의원은 국가이익을 우선하여 양심에 따라 직무를 수행한다.
③ 국회의원은 그 지위를 남용하여 국가·공공단체 또는 기업체와의 계약이나 그 처분에 따라 재산상의 권리·이익 또는 직위를 취득하거나 타인을 위하여 그 취득을 알선할 수 없다.

제68조 국회는 의장 1명과 부의장 1명을 선출한다.

제69조 국회는 헌법 또는 법률에 특별한 규정이 없으면 재적의원 과반수의 출석과 출석의원 과반수의 찬성으로 의결한다. 가부동수일 때에는 의장이 결정한다.

제70조 ① 국회의 회의는 공개한다. 다만, 출석의원 과반수의 찬성이 있거나 국회의장이 국가의 안전보장을 위하여 필요하다고 인정할 때에는 공개하지 않을 수 있다.
② 공개하지 않은 회의 내용의 공표에 관하여는 법률로 정한다.

제71조 ① 국회의원과 국민은 법률안을 제출할 수 있다.
② 법률안이 지방자치와 관련되는 경우 국회의장은 지방의회에 이를 통보해야 하며, 해당 지방의회는 그 법률안에 대하여 의견을 제시할 수 있다. 구체적인 사항은 법률로 정한다.

③ 국민의 법률안 제출의 요건과 절차 등 구체적인 사항은 법률로 정한다.

제72조 ① 국회에서 의결된 법률안은 내각에 이송된 날부터 10일 이내에 대통령이 공포한다.
② 법률은 특별한 규정이 없으면 공포한 날부터 10일이 지나면 효력이 생긴다.

제73조 ① 국회는 내각을 불신임할 수 있다.
② 제1항에 따라 불신임하려면 국회 재적의원 3분의 1 이상이 발의하고 국회 재적의원 과반수가 찬성해야 한다.
③ 국무총리가 속한 정당의 국회의원은 불신임안을 발의하거나 찬성할 수 없다.
④ 제1항에 따라 불신임안이 발의되면 국무총리가 속한 정당의 국회의원은 불신임안에 반대한 것으로 간주한다.
⑤ 국무총리가 속하지 아니하고 국무부총리나 국무위원이 속한 정당의 국회의원이 불신임안을 발의하거나 찬성하려면 국무부총리나 국무위원을 정당에서 제명하거나 그 직을 사임시켜야 하며 이를 하지 않는 경우 제4항에 따라 반대한 것으로 간주한다.

제74조 ① 국회는 국가의 예산안을 심의하여 예산법률로 확정한다.
② 내각은 회계연도마다 예산안을 편성하여 회계연도 개시 100일 전까지 국회에 제출하고, 국회는 회계연도 개시 30일 전까지 예산법률안을 의결해야 한다.
③ 새로운 회계연도가 개시될 때까지 예산법률이 효력을 발생하지 못한 경우 내각은 예산법률이 효력을 발생할 때까지 다음의 목적을 위한 경비를 전년도 예산법률에 준하여 집행할 수 있다.
1. 헌법이나 법률에 따라 설치한 기관이나 시설의 유 지·운영

2. 법률로 정하는 지출 의무의 실행

3. 이미 예산법률로 승인된 사업의 계속

④ 예산안의 심의와 예산법률안의 의결 등에 필요한 사항은 법률로 정한다.

제75조 ① 한 회계연도를 넘어 계속하여 지출할 필요가 있는 경우 내각은 연한(年限)을 정하여 계속비로서 국회의 의결을 거쳐야 한다.

② 예비비는 총액으로 국회의 의결을 거쳐야 한다. 예비비의 지출은 차기 국회의 승인을 받아야 한다.

제76조 내각은 예산법률을 개정할 필요가 있는 경우 추가경정예산안을 편성하여 국회에 제출할 수 있다.

제77조 국채를 모집하거나 예산법률 외에 국가의 부담이 될 계약을 맺으려면 내각은 미리 국회의 의결을 거쳐야 한다.

제78조 조세의 종목과 세율은 법률로 정한다.

제79조 ① 국회는 다음 조약의 체결·비준에 대한 동의권을 가진다.

1. 상호원조나 안전보장에 관한 조약

2. 중요한 국제조직에 관한 조약

3. 우호통상항해조약

4. 주권의 제약에 관한 조약

5. 강화조약(講和條約)

6. 국가나 국민에게 중대한 재정 부담을 지우는 조약

7. 입법사항에 관한 조약

8. 그 밖에 법률로 정하는 조약

② 국회는 선전포고, 국군의 외국 파견 또는 외국 군대의 대한민국 영역 내 주류(駐留)에 대한 동의권을 가진다.

제80조 ① 국회는 국정을 감사하거나 특정한 국정사 안에 대하여 조사할 수 있으며, 이에 필요한 서류의 제출, 증인의 출석, 증언, 의견의 진술을 요구할 수 있다.

② 국정감사와 국정조사의 절차, 그 밖에 필요한 사 항은 법률로 정한다.

제81조 ① 국무총리, 국무부총리, 국무위원, 정부위원은 국회나 그 위원회에 출석하여 국정 처리 상황을 보고하거나 의견을 진술하고 질문에 응답할 수 있다.

② 국회나 그 위원회에서 요구하면 국무총리, 국무부 총리, 국무위원, 정부위원은 출석하여 답변해야 한다. 다만, 국무총리, 국무부총리, 국무위원이 출석 요구를 받은 경우 국무부총리, 국무위원, 정부위원이 출석·답변하게 할 수 있다.

제82조 ① 국회는 대법원장, 부대법원장, 대법관을 해임할 수 있다.

② 제1항에 따라 해임하려면 국회 재적의원 과반수가 발의하고 국회 재적의원 3분의 2 이상이 찬성해야 한다.

제83조 ① 국회는 법률에 위반되지 않는 범위에서 의사와 내부 규율에 관한 규칙을 제정할 수 있다.

② 국회는 국회의원의 자격을 심사하며, 국회의원을 징계할 수 있다.

③ 국회의원을 제명하려면 국회 재적의원 4분의 3 이상이 찬성해야 한다.

④ 제2항과 제3항의 처분에 대해서는 법원에 제소할 수 없다.

제84조 ① 대통령, 헌법위원회 위원, 선거위원회 위원, 인권위원회 위원, 기타 법률이 정한 공무원이 직무를 집행하면서 헌법이나 법률을 위반한 경우 국회는 탄핵의 소추를 의결할 수 있다.
② 제1항의 탄핵소추를 하려면 국회 재적의원 3분의 1 이상 또는 국회의원 선거권자 10분의 1 이상의 찬성으로 발의하고 국회 재적의원 과반수가 찬성해야 한다. 다만, 대통령에 대한 탄핵소추는 국회 재적의원 과반수 또는 국회의원 선거권자 10분의 2 이상의 찬성으로 발의하고 국회 재적의원 3분의 2 이상이 찬성해야 한다.
③ 탄핵소추의 의결을 받은 사람은 탄핵심판이 있을 때까지 권한을 행사하지 못한다.
④ 탄핵결정은 공직에서 파면하는 데 그친다. 그러나 파면되더라도 민사상 또는 형사상 책임이 면제되지는 않는다.

제85조 국가의 세입·세출의 결산, 국가·지방정부 및 법률로 정하는 단체의 회계검사, 법률로 정하는 국가·지방정부의 기관 및 공무원의 직무에 관한 감찰을 하기 위하여 국회 산하에 감사원을 둔다.

제86조 ① 감사원은 원장을 포함한 9명의 감사위원으로 구성하며, 감사위원은 국회의장이 임명한다.
② 제1항에 따라 감사위원을 임명하려면 국회 재적의원 과반수가 발의하고 국회 재적의원 3분의 2 이상이 찬성해야 한다.
③ 감사원장과 감사위원의 임기는 4년으로 한다. 다만, 감사위원으로 재직 중인 사람이 감사원장으로 임명되는 경우 그 임기는 감사위원 임기의 남

은 기간으로 한다.

④ 감사위원은 정당에 가입하거나 정치에 관여할 수 없다.

⑤ 감사위원을 해임하려면 국회 재적의원 과반수가 발의하고 국회 재적의원 3분의 2 이상이 찬성해야 한다.

제87조 감사원은 세입·세출의 결산을 매년 검사하여 다음 연도 국회에 그 결과를 보고해야 한다.

제88조 ① 감사원은 법률에 위반되지 않는 범위에서 감사에 관한 절차, 감사원의 내부 규율과 감사사무 처리에 관한 규칙을 제정할 수 있다.

② 감사원의 조직, 직무 범위, 감사위원의 자격, 감사 대상 공무원의 범위, 그 밖에 필요한 사항은 법률로 정 한다.

제5장 정부

제1절 내각

제89조 ① 행정권은 국무총리를 수반으로 하는 내각에 있다.

② 국무총리는 국회의원 중에서 국회 재적의원 과반수의 동의를 얻어 선출한다.

③ 국무총리가 사고로 인하여 직무를 수행할 수 없을 때에는 국무부총리와 법률의 정하는 순서에 따라 국무위원이 그 권한을 대행한다.

④ 국무총리가 국회의원의 직위를 상실할 경우 퇴직 된다.

제90조 ① 국무부총리와 국무위원은 국회의원 중에서 국무총리가 지명하여 대통령이 임명한다.

② 국무부총리는 국정에 관하여 국무총리를 보좌한다.

③ 국무위원은 국무회의의 구성원으로서 국정을 심의 한다.

④ 국무부총리와 국무위원이 국회의원의 직위를 상실할 경우 퇴직된다.

제91조 국무총리는 필요하다고 인정할 경우 국가 안위에 관한 중요 정책을 국민투표에 부칠 수 있다.

제92조 국무총리는 법률에서 구체적으로 범위를 정하여 위임받은 사항과 법률을 집행하는 데 필요한 사항에 관하여 국무총리령을 발(發)할 수 있다.

제93조 국무총리는 헌법과 법률로 정하는 바에 따라 공무원을 임면(任免)한다.

제94조 ① 국무총리는 국회가 내각을 불신임한 경우 국회를 해산할 수 있다.

② 제1항에 따라 국회해산을 결의하지 않는 한 내각은 10일 이내에 총사퇴해야 한다.

③ 국무총리는 국회가 내각을 불신임하지 않으면 국회를 해산할 수 없다.

제2절 국무회의와 국가자치분권회의

제95조 ① 국무회의는 내각의 권한에 속하는 중요한 정책을 심의한다.

② 국무회의는 국무총리와 15명 이상 30명 이하의 국무위원으로 구성한다.

③ 국무총리는 국무회의의 의장이 되고, 국무부총리는 부의장이 된다.

제96조 다음 사항은 국무회의의 심의를 거쳐야 한다.

1. 국정의 기본계획과 내각의 일반 정책

2. 선전(宣戰), 강화, 그 밖에 중요한 대외 정책

3. 헌법 개정안, 국민투표안, 조약안, 국무총리령안

4. 국회해산에 관한 사항

5. 내각 총사퇴에 관한 사항

6. 예산안, 결산, 국유재산 처분의 기본계획, 국가에 부담이 될 계약, 그 밖에 재정에 관한 중요 사항

7. 긴급명령, 긴급재정경제처분 및 명령, 계엄의 선포와 해제

8. 군사에 관한 중요 사항

9. 영전 수여

10. 사면·감형과 복권

11. 행정각부 간의 권한 획정

12. 내각 안의 권한 위임 또는 배정에 관한 기본계획

13. 국정 처리 상황의 평가·분석

14. 행정각부의 중요 정책 수립과 조정

15. 정당 해산의 제소

16. 내각에 제출되거나 회부된 내각 정책에 관계되는 청원의 심사

17. 합동참모의장·각군참모총장·국립대학교총장·대사 기타 법률로 정한 공무원과 국영기업체 관리자의 임명

18. 사립대학교총장직무대행의 임명

19. 사립대학교에 임시 이사 파견 결정

20. 그 밖에 국무총리나 국무위원이 제출한 사항

제97조 ① 중앙정부와 지방정부 간 협력을 추진하고 지방자치와 지방 간 균형 발전에 관련되는 중요 정책을 심의하기 위하여 국가자치분권회의를 둔다.

② 국가자치분권회의는 국무총리, 국무부총리와 지방 행정부의 장으로 구성한다.

③ 국무총리는 국가자치분권회의의 의장이 되고, 국무부총리는 부의장이 된다.

④ 국가자치분권회의의 조직과 운영 등 구체적인 사 항은 법률로 정한다.

제3절 행정각부

제98조 행정각부의 장은 국무총리의 제청으로 대통령이 임명한다.

제99조 국무총리 또는 행정각부의 장은 소관 사무에 관하여 법률이나 국무총리령의 위임 또는 직권으로 총리령 또는 부령을 발할 수 있다.

제100조 행정각부의 설치·조직과 직무 범위는 법률로 정한다.

제6장 법원

제101조 ① 사법권은 법관으로 구성된 법원에 있다. 국민은 법률로 정하는 바에 따라 배심원 또는 그 밖의 방법으로 재판에 참여할 수 있다.

② 법원은 최고법원인 대법원과 지방법원으로 조직한다.

③ 법관의 자격은 법률로 정한다.

④ 모든 법관은 임용시 국회의 동의를 받아야 한다.

⑤ 법관은 법률에 따라 선거할 수 있다.

제102조 ① 대법원에 일반재판부와 전문재판부를 둘 수 있다.

② 대법원에 대법관을 둔다. 다만, 법률로 정하는 바에 따라 대법관이 아닌 법관을 둘 수 있다.

③ 대법원과 지방법원의 조직은 법률로 정한다.

제103조 법관은 헌법과 법률에 의하여 그 양심에 따라 독립하여 공정하게 심판한다.

제104조 ① 대법원장, 부대법원장, 대법관은 법관인 자 중에서 국회 재적의원 3분의 2 이상의 동의를 얻어 선출한다.

② 제1항의 관하여 필요한 사항은 법률로써 정한다.

제105조 ① 대법원장의 임기는 4년으로 하며, 연임할 수 없다.

② 부대법원장과 대법관의 임기는 4년으로 하며, 연임할 수 있다.

③ 대법원장, 부대법원장, 대법관이 궐위된 경우의 후임자는 전임자의 잔임기간 동안 재임한다.

④ 법관의 정년은 법률로 정한다.

제106조 ① 법관은 국회 혹은 지방의회의 의결을 통한 해임 혹은 국민심사에서 의하거나 금고 이상의 형을 선고받지 않고는 파면되지 않으며, 징계처분에 의하지 않고는 해임, 정직, 감봉, 그 밖의 불리한 처분을 받지 않는다.

② 법관이 중대한 심신상의 장해로 직무를 수행할 수 없을 때는 법률로 정하는 바에 따라 퇴직하게 할 수 있다.

③ 국민은 법관을 소환할 수 있다. 소환의 요건과 절차 등 구체적인 사항은 법률로 정한다.

④ 제3항에 따라 소환을 받은 법관은 결과를 공표할 때까지 권한을 행사하지 못한다.

⑤ 대법원장, 부대법원장, 대법관은 임명 후 처음으로 행해지는 지방선거 때 국민의 심사를 부친다.

⑥ 국민의 심사에 부쳐진 법관에 대해 투표자의 3분의 2 이상이 법관의 파면을 찬성하는 경우 그 법관은 파면된다.

제107조 ① 법률이 헌법에 위반되는지가 재판의 전제가 된 경우 법원은 헌법위원회에 제청하여 그 심판에 따라 재판한다.

② 제1항의 심판에 대해 대법원은 헌법위원회에 의견을 제출할 수 있다.

③ 명령·규칙·조례 또는 자치규칙이 헌법이나 법률에 위반되는지가 재판의 전제가 된 경우 대법원은 이를 최종적으로 심사할 권한을 가진다.

④ 재판의 전심절차로서 행정심판을 할 수 있다. 행정심판의 절차는 법률로 정하되, 사법절차가 준용되어야 한다.

제108조 대법원은 법률에 위반되지 않는 범위에서 소송에 관한 절차, 법원의 내부 규율과 사무 처리에 관한 규칙을 제정할 수 있다.

제109조 재판의 심리와 판결은 공개한다. 다만, 심리는 인권을 침해할 염려가 있거나 국가의 안전보장을 위협할 때는 법원의 결정으로 공개하지

않을 수 있다.

제7장 헌법위원회

제110조 ① 헌법위원회는 다음 사항을 관장한다.

1. 법원의 제청에 의한 법률의 위헌 여부 심판

2. 탄핵의 심판

3. 정당의 해산 심판

4. 국가기관 상호 간, 국가기관과 지방정부 간, 지방정부 상호 간의 권한 쟁의에 관한 심판

5. 법률로 정하는 헌법소원에 관한 심판

6. 대통령 권한대행의 개시 또는 대통령의 직무 수행 가능 여부에 관한 심판

7. 그 밖에 법률로 정하는 사항에 관한 심판

② 헌법위원회는 국회에서 선출하는 9명의 위원으로 구성한다. 위원장은 위원 중에서 호선한다.

③ 제2항에 따라 국회에서 위원을 선출하려면 국회 재적의원 3분의 2 이상의 동의를 얻어야 한다.

④ 헌법위원회의 법률 해석과 대법원의 법률 해석이 상충할 경우 헌법위원회의 법률 해석을 우선한다.

제111조 ① 위원의 임기는 4년으로 하며, 중임할 수 없다.

② 위원은 정당에 가입하거나 정치에 관여할 수 없다.

③ 위원은 탄핵되거나 금고 이상의 형을 선고받지 않고는 파면되지 않는다.

세112조 ① 헌법위원회는 법률에 위반되지 않는 범위에서 심판에 관한 절차, 내부 규율과 사무 처리에 관한 규칙을 제정할 수 있다.

② 헌법위원회의 조직과 운영, 그 밖에 필요한 사항은 법률로 정한다.

제8장 선거위원회

제113조 ① 선거위원회는 다음 사항을 관장한다.

1. 국가와 지방정부의 선거에 관한 사무

2. 국민발안, 국민투표, 국민소환의 관리

3. 정당과 정치자금에 관한 사무

4. 주민발안, 주민투표, 주민소환의 관리

5. 그 밖에 법률로 정하는 사무

② 선거위원회는 국회에서 선출하는 9명의 위원으로 구성한다. 위원장은 위원 중에서 호선한다.

③ 제2항에 따라 국회에서 위원을 선출하려면 국회 재적의원 3분의 2 이상의 동의를 얻어야 한다.

제114조 ① 위원의 임기는 4년으로 하며, 중임할 수 없다.

② 위원은 정당에 가입하거나 정치에 관여할 수 없다.

③ 위원은 탄핵되거나 금고 이상의 형을 선고받지 않고는 파면되지 않는다.

제115조 ① 선거위원회는 법률에 위반되지 않는 범위에서 소관 사무의

처리와 내부 규율에 관한 규칙을 제정할 수 있다.

② 선거위원회의 조직, 직무 범위, 그 밖에 필요한 사항은 법률로 정한다.

제116조 ① 선거위원회는 선거인명부의 작성 등 선거 사무와 국민투표 사무에 관하여 관계 행정기관에 필요한 지시를 할 수 있다.

② 제1항의 지시를 받은 행정기관은 지시에 따라야 한다.

제117조 ① 누구나 자유롭게 선거운동을 할 수 있다. 다만, 후보자 간 공정한 기회를 보장하기 위하여 필요 한 경우에만 법률로써 제한할 수 있다.

② 선거에 관한 경비는 법률로 정하는 경우를 제외하고는 정당이나 후보자에게 부담시킬 수 없다.

③ 선거운동에 드는 경비는 법률로 정하는 바에 따라 후보자에게 지원해야 한다.

제9장 인권위원회

제118조 ① 인권위원회는 다음 사항을 관장한다.

1. 인권에 관한 법령·제도·정책·관행의 조사와 연구 및 그 개선이 필요한 사항에 관한 권고 또는 의견의 표명

2. 인권침해행위에 대한 조사와 구제

3. 차별행위에 대한 조사와 구제

4. 인권상황에 대한 실태 조사

5. 인권에 관한 교육 및 홍보

6. 인권침해의 유형, 판단 기준 및 그 예방 조치 등에 관한 지침의 제시 및 권고

7. 국제인권조약 가입 및 그 조약의 이행에 관한 연구와 권고 또는 의견의 표명

8. 인권의 옹호와 신장을 위하여 활동하는 단체 및 개인과의 협력

9. 인권과 관련된 국제기구 및 외국 인권기구와의 교류·협력

10. 그 밖에 인권의 보장과 향상을 위하여 법률로 정하는 사항

② 인권위원회는 국회에서 선출하는 9명의 위원으로 구성한다. 위원장은 위원 중에서 호선한다.

③ 제2항에 따라 국회에서 위원을 선출하려면 국회 재적의원 3분의 2 이상의 동의를 얻어야 한다.

제119조 ① 위원의 임기는 4년으로 하며, 중임할 수 없다.

② 위원은 정당에 가입하거나 정치에 관여할 수 없다.

③ 위원은 탄핵되거나 금고 이상의 형을 선고받지 않고는 파면되지 않는다.

④ 위원은 법률이 정하는 바에 따라 직무를 수행하는 과정에서 발언과 의결에 관하여 고의 또는 과실이 없으면 민사상 또는 형사상의 책임을 지지 않는다.

제120조 ① 인권위원회는 법률에 위반되지 않는 범위에서 심판에 관한 절차, 내부 규율과 사무 처리에 관한 규칙을 제정할 수 있다.

② 인권위원회의 조직과 운영, 그 밖에 필요한 사항은 법률로 정한다.

제10장 지방자치

제121조 ① 지방정부의 자치권은 주민에 속한다. 주민은 자치권을 직접

또는 지방정부를 통해 행사한다.

② 지방정부의 종류와 구역 등 지방정부에 관한 주요 사항은 법률로 정한다.

③ 주민발안, 주민투표 및 주민소환에 관하여 그 대상, 요건 등 기본적인 사항은 법률로 정하고, 구체적인 내용은 조례로 정한다.

④ 국가와 지방정부 간, 지방정부 상호 간 사무의 배분은 주민에게 가까운 지방정부가 우선한다는 원칙에 따라 법률로 정한다.

제122조 ① 지방정부에 주민이 보통·평등·직접·비밀 선거로 구성하는 지방의회와 법률에 따라 구성하는 지방법원을 둔다.

② 지방정부의 조직과 운영에 관한 기본적인 사항은 법률로 정하고, 구체적인 내용은 조례로 정한다.

③ 지방행정부의 장은 법률 또는 조례를 집행하기 위하여 필요한 사항과 법률 또는 조례에서 구체적으로 범위를 정하여 위임받은 사항에 관하여 자치규칙을 정할 수 있다.

④ 지방법원의 장은 법률 또는 조례를 집행하기 위하여 필요한 사항과 법률 또는 조례에서 구체적으로 범위를 정하여 위임받은 사항에 관하여 자치규칙을 정할 수 있다.

제123조 ① 지방의회는 법률에 위반되지 않는 범위에 서 주민의 자치와 복리에 필요한 사항에 관하여 조례를 제정할 수 있다.

② 지방의회는 국회에 법률 제정을 건의할 수 있다.

③ 지방의회는 지방법원의 장을 해임할 수 있다.

④ 제3항에 따라 해임하려면 지방의회 재적의원 과반수가 발의하고 지방의회 재적의원 3분의 2 이상이 찬성해야 한다.

제124조 ① 지방정부는 자치사무의 수행에 필요한 경비를 스스로 부담한다. 국가 또는 다른 지방정부가 위임한 사무를 집행하는 경우 그 비용은 위임하는 국가 또는 다른 지방정부가 부담한다.

② 지방의회는 법률에 위반되지 않는 범위에서 자치 세의 종목과 세율, 징수 방법 등에 관한 조례를 제정할 수 있다.

③ 조세로 조성된 재원은 국가와 지방정부의 사무 부담 범위에 부합하게 배분해야 한다.

④ 국가와 지방정부 간, 지방정부 상호 간에 법률로 정하는 바에 따라 적정한 재정조정을 시행한다.

제11장 경제

제125조 ① 대한민국의 경제질서는 모든 국민에게 인간으로서 존엄과 가치를 보장할 수 있도록 균형있는 국민경제의 발전을 기함을 기본으로 삼는다.

② 국가는 경제의 성장 및 안정과 적정한 소득의 분배를 유지하고, 시장의 지배와 경제력의 집중과 남용을 방지하며, 여러 경제주체의 참여, 상생 및 협력이 이루어지도록 경제에 관한 규제와 조정을 하여야 한다.

③ 개인과 기업의 경제상의 자유와 창의는 사회정의의 한도 내에서 보장된다.

④ 국가는 경제적으로 어려운 계층의 경제력 발전을 위해 노력해야 한다.

⑤ 국가는 지방 간의 균형 있는 발전을 위하여 지방 공유자산을 유지, 발전시키며 지방경제를 육성할 의무를 진다.

제126조 ① 국가는 국토와 자원을 보호해야 하며, 지속가능하고 균형 있는 이용·개발과 보전을 위하여 필요한 계획을 수립·시행한다.

② 자연자원은 모든 국민의 공동자산으로서 국가의 보호를 받으며, 국가는 지속가능한 개발과 이용을 위하여 필요한 계획을 수립하고 이를 달성하기 위하여 노력한다.

③ 광물을 비롯한 중요한 지하자원, 해양수산자원, 산림자원, 수력과 풍력 등 경제적으로 이용할 수 있는 자연력은 법률로 정하는 바에 따라 국가가 일정 기간 채취·개발 또는 이용을 특허할 수 있다.

제127조 ① 국가는 농지에 관하여 경자유전(耕者有田)의 원칙이 달성될 수 있도록 노력해야 하며, 농지의 소작제도는 금지된다.

② 농업생산성의 제고와 농지의 합리적인 이용을 위하거나 불가피한 사정으로 발생하는 농지의 임대차와 위탁경영은 법률로 정하는 바에 따라 인정된다.

제128조 ① 국가는 국민 모두의 생산과 생활의 바탕이 되는 국토의 효율적이고 균형 있는 이용, 개발과 보전을 도모하고, 토지 투기로 인한 경제 왜곡과 불평등을 방지하기 위하여 법률이 정하는 바에 의하여 필요한 제한과 의무를 과한다.

② 국가는 토지의 공공성과 합리적 사용을 위하여 필요한 경우에만 법률로써 특별한 제한을 하거나 의무를 부과하여야 한다.

제129조 ① 국가는 식량의 안정적 공급과 생태 보전 등 농어업의 공익적 기능을 바탕으로 농어촌의 지속가능한 발전과 농어민의 삶의 질 향상을 위한 지원 등 필요한 계획을 수립·시행해야 한다.

② 국가는 농수산물의 수급균형과 유통구조의 개선에 노력하여 가격안정을 도모함으로써 농어민의 이익을 보호한다.

③ 국가는 농어민의 자조조직을 육성해야 하며, 그 조직의 자율적 활동과 발전을 보장한다.

제130조 ① 국가는 중소기업과 소상공인을 보호, 육성하고, 협동조합의 육성 등 사회적 경제의 진흥을 위하여 노력해야 한다.
② 국가는 중소기업과 소상공인의 자조조직을 육성해야 하며, 그 조직의 자율적 활동과 발전을 보장한다.

제131조 ① 국가는 안전하고 우수한 품질의 생산품과 용역을 받을 수 있도록 소비자의 권리를 보장해야 하며, 이를 위하여 필요한 정책을 시행해야 한다.
② 국가는 법률로 정하는 바에 따라 소비자운동을 보장한다.

제132조 국가는 호혜적이고 공정한 대외무역을 육성 하며, 이를 규제하고 조정할 수 있다.

제133조 민생이나 국방에 필요하여 법률로 정하는 경우를 제외하고는, 사영기업을 국유 또는 공유로 이전하거나 그 경영을 통제 또는 관리할 수 없다.

제134조 ① 국가는 기초 학문을 장려하고 과학기술을 혁신하며 정보와 인력을 개발하는 데 노력해야 한다.
② 국가는 국가표준제도를 확립한다.
③ 국가는 반지성주의를 배격해야 한다.

제12장 헌법 개정

제135조 ① 헌법 개정의 제안은 국회 재적의원 3분의 1 이상이나 국회의원 선거권자 50분의 1 이상의 찬성으로 한다.
② 대통령의 임기 연장 또는 중임 변경을 위한 헌법 개정은 그 헌법 개정 제안 당시의 대통령에 대해서는 효력이 없다.

제136조 ① 대통령은 제안된 헌법 개정안을 20일 이상 공고해야 한다.
② 국무총리는 제안된 헌법 개정안의 표결을 제헌의회에서 하고자 하는 경우 대통령에게 제헌의회 소집 건의를 할 수 있다.
③ 대통령은 국무총리가 제헌의회 소집 건의를 하면 이를 즉시 소집해야 한다.
④ 제헌의회 의원은 국민이 보통·평등·직접·비밀 선거로 선출하여 구성하되, 그 조직과 운영 기타 필요한 사항은 법률로 정한다.

제137조 ① 제헌의회는 소집 후 180일 이내로 존속 한다.
② 제헌의회가 소집되면 국회는 즉시 해산하며 국회의 모든 기능과 권한은 제헌의회로 이관된다.
③ 제헌의회가 소집되면 내각은 즉시 총사퇴하며 제헌의회 의장이 국무총리를 대행하며 새로운 내각을 구성 한다.
④ 제헌의회는 재적의원 과반수의 찬성으로 법관을 파면할 수 있다.
⑤ 제헌의회는 헌법위원회, 선거위원회, 인권위원회, 지방의회, 지방정부, 지방법원의 권한을 제한할 수 있다.
⑥ 제헌의회는 제안된 헌법 개정안이 표결에서 부결되면 헌법 개정안을

수정하여 표결에 다시 부쳐서 의결할 수 있다.

⑦ 제헌의회는 헌법 개정이 확정되면 새로운 헌법에 따라 구성된 국회의 최초 집회일 전일까지 존속하며, 헌법 개정이 국민투표에서 부결되거나 180일 이내로 의결하지 못하면 기존 헌법에 따라 다시 국회를 구성하고 구성된 국회의 최초 집회일 전일까지 존속하며, 그 국회의원의 임기는 기존에 해산된 국회의원 임기의 잔여 임기로 하며, 나머지 헌법상의 기구도 기존 헌법에 따라 다시 구성한다.

제138조 ① 제안된 헌법 개정안은 공고된 날부터 60일 이내에 국회 혹은 제헌의회에서 표결해야 하며, 재적의원 3분의 2 이상의 찬성으로 의결한다.
② 헌법 개정안이 의결한 날부터 30일 이내에 국민 투표에 부쳐 국회의원 선거권자 과반수의 투표와 투표자 과반수의 찬성을 얻어야 한다.
③ 헌법 개정안이 제2항의 찬성을 얻은 경우 헌법 개정은 확정되며, 대통령은 즉시 이를 공포해야 한다.

부칙

제1조 ① 이 헌법은 공포한 날부터 시행한다. 다만, 법률의 제정 또는 개정 없이 실현될 수 없는 규정은 그 법률이 시행되는 때부터 시행하되, 늦어도 2026년 8월 15일에는 시행한다.
② 제1항에도 불구하고 이 헌법을 시행하기 위하여 필요한 법률의 제정, 개정, 그 밖에 이 헌법의 시행에 필요한 준비는 이 헌법 시행 전에 할 수 있다.

제2조 ① 이 헌법이 시행되기 전까지는 그에 해당하는 종전의 규정을 적용한다.

② 종전의 헌법에 따라 구성된 지방자치단체, 지방의 회, 지방자치단체의 장은 이 헌법 제9장에 따른 지방의회와 지방행정부의 장이 선출되어 지방정부가 구성될 때까지 이 헌법에서 정하는 지방정부, 지방의회, 지방행 정부의 장으로 본다.

③ 종전의 헌법에 따라 구성된 교육청은 폐지되어 지방정부에 통합되며 교육감은 직위를 상실한다.

제3조 ① 이 헌법 개정 제안 당시 대통령의 임기는 2026년 8월 14일까지로 하며, 중임할 수 없다.

② 이 헌법 개정 제안 당시의 대통령이 궐위되거나 사고로 인하여 직무를 수행할 수 없을 때에는 국무총리, 법률이 정한 국무위원의 순서로 그 권한을 대행하며 국무위원도 모두 궐위되거나 사고로 인하여 직무를 수행할 수 없을 때에는 차관 중에서 최선임자가 그 권한을 대행한다.

제4조 ① 이 헌법 개정 제안 당시 국회의원의 임기는 2026년 8월 14일까지로 한다.

② 이 헌법 개정 제안 당시 국회의원 중 비례대표 국회의원이 궐위된 경우 승계자를 기존의 법률에 따른 조항을 따르지 아니하고 각 정당의 대표자에 의해 지명받는 자가 승계한다.

제5조 이 헌법 개정 제안 당시 대법원장, 대법관의 임기는 2026년 8월 14일까지로 하며 대법관 중 최선임자는 이 헌법에 의한 부대법원장으로 간주하며 임기는 2026년 8월 14일까지로 한다.

제6조 ① 2022년 6월 1일에 실시하는 선거와 그 재·보궐선거 등으로 선출된 지방의회 의원 및 지방자치단체 의장의 임기는 2028년 8월 14일까지로 한다.

② 2022년 6월 1일에 실시하는 선거와 그 재·보궐선거 등으로 선출된 교육의원은 이 헌법 시행과 동시에 그 직을 상실한다.

제7조 ① 이 헌법 시행 당시의 공무원은 이 헌법에 따라 임명 또는 선출된 것으로 본다.

② 이 헌법 시행 당시의 감사원장, 감사위원은 이 헌법에 따라 감사원장, 감사위원이 임명될 때까지 그 직무를 수행하며, 임기는 이 헌법에 따라 감사원장, 감사위원이 임명된 날의 전날까지로 한다.

③ 이 헌법 시행 당시의 감사원장, 감사위원의 임면권은 국회에 있는 것으로 간주한다.

제8조 ① 군사법원은 이 헌법에 따라 폐지한다.

② 군사법원에 계속 중인 사건은 법원으로 이관된 것으로 본다.

제9조 ① 이 헌법 시행 당시의 법령과 조약은 이 헌법에 위반되지 않는 한 그 효력을 지속한다.

② 종전의 헌법에 따라 유효하게 행해진 처분, 행위 등은 이 헌법에 따른 처분, 행위 등으로 본다.

제10조 이 헌법 시행 당시 이 헌법에 따라 새로 설치되는 기관의 권한에 속하는 직무를 수행하고 있는 기관은 이 헌법에 따라 새로운 기관이 설치

될 때까지 존속 하며 그 직무를 수행한다.

제11조 이 헌법 시행 당시의 지방자치에 관한 규정은 이 헌법에 따른 조례, 자치규칙으로 본다.

제12조 이 헌법 시행과 동시에 사형 판결을 받고 집행되지 않은 자는 무기징역으로 감형한다.

국제지역학과 아시아경영

발행 2024년 01월 30일

지은이 대한아시아지역학연구회
발행처 주식회사 부크크
출판등록 2014.07.15. (제2014-16호)
발행인 한건희
주소 서울특별시 금천구 가산디지털1로 119 SK트윈타워 A동 305호
이메일 info@bookk.co.kr
전화번호 1670-8316
ISBN 979-11-410-6963-6

값 20,000원